Le Roman
de Renart

DU MÊME AUTEUR

JE VOULAIS TE PARLER DE JEREMIAH, D'OZÉLINA ET DE TOUS LES AUTRES..., HMH, 1967; Libre Expression, 1994.
LES HIRONDELLES, HMH, 1973; Libre Expression, 1995.
CAP-AUX-OIES, Libre Expression, 1980, et 1991 en édition illustrée.
GIRIKI ET LE PRINCE DE QUÉCAN, Libre Expression, 1982.
MONTRÉAL BY FOOT, Les Éditions du Ginkgo, 1983.
OKA, Les Éditions du Ginkgo, 1987.
PROMENADES ET TOMBEAUX, Libre Expression, 1989, et 1996 en édition illustrée.
GABZOU, Libre Expression, 1990.
L'ÎLE AUX GRUES, Libre Expression, 1991.
LISE ET LES TROIS JACQUES, Libre Expression, 1992.
GÉOGRAPHIE D'AMOURS, Libre Expression, 1993.
BONJOUR, CHARLES!, Libre Expression, 1994.
LE FLEUVE, Libre Expression, 1995.
LADICTE COSTE DU NORT, Libre Expression, 1996.
STORNOWAY, Libre Expression, 1996.
LES TERRES ROMPUES, Libre Expression, 1997.
CHÈRE CHAIR, Libre Expression, 1998.
LES MONTÉRÉGIENNES, Libre Expression, 1999.
HIVERS, Libre Expression, 1999.
LES ESCAPADES DE JEAN O'NEIL, Libre Expression, 2000.
LE LIVRE DES PROPHÈTES, Libre Expression, 2000.

Collectifs

POÈMES, dans *Imagine...*, science-fiction, littératures de l'imaginaire, n° 21 (vol. V, n° 4), avril 1984.
LE TEMPS D'UNE GUERRE, récit, dans *Un été, un enfant*, Québec Amérique, 1990.
L'AMOUR DE MOY, récit, dans *Le Langage de l'amour*, Musée de la Civilisation, 1993.
GILLES ARCHAMBAULT, collection Musée populaire, Éditions Ciel d'images, Québec, 1998.
LES ESCALIERS DE MONTRÉAL, album photographique de Pierre Philippe Brunet, Hurtubise HMH, Montréal, 1998.

Théâtre (non publié)

LES BONHEURS-Z-ESSENTIELS, Théâtre de l'Estoc, 1966.
LES BALANÇOIRES, Théâtre de Quat'Sous, 1972.

JEAN O'NEIL

Le Roman de Renart

Données de catalogage avant publication (Canada)

O'Neil, Jean

Le roman de Renart

ISBN 2-89111-919-3

I. Titre.

PS8529.N3R64 2000 C843'.54 C00-941643-9
PS9529.N3R64 2000
PQ3919.2.O53R64 2000

Illustrations
GILLES ARCHAMBAULT

Maquette de la couverture
FRANCE LAFOND

Infographie et mise en pages
SYLVAIN BOUCHER

Libre Expression remercie le gouvernement canadien (Programme d'aide au développement de l'industrie de l'édition), le Conseil des Arts du Canada et la Société de développement des entreprises culturelles du soutien accordé à ses activités d'édition dans le cadre de leurs programmes de subventions globales aux éditeurs.

Éditions Libre Expression
2016, rue Saint-Hubert
Montréal (Québec) H2L 3Z5

Dépôt légal :
3e trimestre 2000

ISBN 2-89111-919-3

À Pline l'Ancien,
pour son *Histoire naturelle*,
et à Camille Saint-Saëns,
pour son
Carnaval des animaux.

Table

Joyeux

À LA FRAÎCHEUR DE L'AIR, au seul aspect de sa pelisse, Renart comprit qu'il y avait du nouveau.

Se levant, il s'étira un peu, rabattit gauchement son bonnet sur sa tête d'un coup de patte et gravit le grand escalier avec un sentiment mêlé de joie et de résignation.

Il contempla longuement le paysage à travers le judas, puis, tirant la clenche, il ouvrit la porte d'un coup d'épaule, juste le temps de mettre le nez dehors. Un frisson lui parcourut l'échine. Il ferma précipitamment et revint retrouver Hermeline sous les draps de finette. Tout matineux qu'il fût, Renart n'aimait rien tant que de passer son tour et de flâner l'avant-midi entier dans son lit.

La flanelle faisait particulièrement bon ménage avec sa pelisse. À tel point qu'il avait exigé de la rousse qu'elle lui en fît des chemises de nuit. Ainsi attifé, avec son bonnet de nuit bien calé entre ses deux oreilles, il avait l'air de son grand-père et Hermeline ne manquait jamais de le taquiner.

– S'il fallait que les gens te voient, ils ne t'appelleraient plus «compère», mais bien «pépère».

Renart avait réponse à tout.

– Grand-père vivait sans doute moins bien que moi, mais il dormait mieux.

À cela, que pouvait répondre la rousse? Elle accumulait à tel point les tisanes, les potions et les comprimés que Renart avait dû lui construire une crédence sur son mur de chevet pour «son jeu de chimie». Jamais elle n'aurait songé à dormir toute une nuit sans le mystérieux recours à l'un ou l'autre des flacons de son arsenal.

Renart, lui, malgré ses plaintes, ronflait comme un prédicateur. La flanelle mouchetait sa pelisse de multiples pellicules, mais il prétendait qu'elle en reluisait davantage au premier coup de brosse.

En le voyant redescendre le grand escalier, Hermeline vit que ça y était.

– C'est bien ce que je pense?

– Exactement!

– Fait-il soleil, au moins?

– Pas encore, mais je crois que ça viendra.

– Est-ce que c'est beau, toujours?

– C'est étrangement calme. Sortiras-tu aujourd'hui?

– Je ne sais pas.

Renart attendait sa décision avec une certaine appréhension. En vérité, cette première neige l'excitait comme tout, mais il n'en voulait rien laisser voir. Si la rousse réagissait comme lui, elle allait vouloir sortir, elle aussi, et Renart ne tenait pas vraiment à une promenade à deux sous les sapins au vu et au su de tous les pensionnaires de la forêt. Si la promenade n'intéressait pas la rousse, il allait pouvoir sortir seul et batifoler à son goût comme au bon temps de son célibat.

Appuyée sur la porte, Hermeline contemplait le dehors avec une feinte indifférence. La tempête avait cessé, mais il avait certainement neigé toute la nuit. Brièvement, elle redécouvrait en son cœur le grand bonheur du premier soir, alors que Renart lui avait offert le pays comme sur un plateau. Fine commère, elle savait l'envie qui torturait Renart.

– Non, Renart, je ne sortirai pas. Cette première neige me fait penser à Noël et me donne envie de faire des beignes.

«La chère enfant, pensa Renart. Ma rousse ne sera toujours qu'une enfant.»

Puis, l'air préoccupé, il dit :

– C'est ça, fais des beignes. Moi, j'irai inspecter les chemins. Il faudra que je déblaie les côtes, sinon la glace s'y mettra et nous en aurons pour l'hiver… D'autre part, je vois assez bien Jean-Guy partir en chasse à cette première neige. À l'heure qu'il est, Dieu sait combien de pièges il a su tendre. C'est le temps de les désamorcer avant qu'une autre bordée n'efface les pistes.

«Quel beau discours! pensa la rousse. S'il n'en était la première victime, je lui dirais quel beau menteur il fait.»

Qu'importe?

Renart a gagné.

Oh! le sourire en coin de dame Hermeline ne lui échappe pas. Peut-être même devine-t-il qu'elle devine. Tant pis. L'entente est dans les règles. En deux sauts, il est allé quérir mocassins et raquettes au grenier. Avant de sortir, il passe à la cuisine pour embrasser la rousse et celle-ci est heureuse de son bonheur. Elle lui ajuste la ceinture fléchée, retape le pompon de sa tuque et lui fait une bise.

Renart sort, chausse ses raquettes et disparaît. Il a hâte de disparaître, car il sent vaguement sur sa nuque les deux yeux qui l'épient à travers le judas. Le voici au Promontoire. Il ferait bon s'y attarder, sautiller bien à l'aise, mais Maupertuis est tout près et la rousse pourrait bien trouver raison d'y venir.

Le voici donc qui se glisse dans les sentes et qui disparaît sous les épinettes. Quelle béatitude! Il court. Il bondit. Il danse, faisant choir des paquets de neige qui l'ensevelissent et dont il se délivre avec des frétillements de joie. Il s'élance, se roule et dégringole sur la pente, puis, d'un coup de reins, il s'amuse à remonter.

Joyeux, l'écureuil n'en croit pas ses yeux. Il le regarde, attentif à ne point révéler sa présence, mais soudain il ne se contient plus et son rire déchire le beau silence dont Renart se croyait entouré.

– La neige vous fait retourner en enfance, Renart?

Il n'en faut pas davantage pour freiner la gymnastique du goupil. Malheur à Joyeux qui ne connaît point les fureurs de l'adulte surpris en état d'enfance.

– Eh quoi, Joyeux? Te moquerais-tu maintenant des pauvres gens menacés d'infirmités et qui n'espèrent plus que dans les exercices physiques?

– Ma foi, Renart, je ne me moque point, mais vous m'amusez fort et la forêt tout entière se réjouira certes de vous savoir en des dispositions aussi peu belliqueuses. Je me charge de répandre la nouvelle.

Les grands, c'est bien connu, n'aiment pas qu'on les surprenne quand ils ont porté bas le masque de leur grandeur, et Renart se voit déjà la risée de tout le voisinage.

– Dis donc, Joyeux! Il ne manque à ma thérapie que les vertus curatives du maskouabina sur lequel tu te tords de rire. Serais-tu assez aimable de m'en lancer quelques grappes?

Et l'astucieux compère s'appuie au tronc de l'arbuste, attendant d'être servi.

Soupçonneux, nerveux de nature, Joyeux vient près de refuser, mais il faut être raisonnable. Que peut Renart contre lui? Ce ne sont point les roulades de tout à l'heure qui lui auront appris à grimper aux arbres.

Pauvre cervelle! Il saute de branche en branche, tout occupé à couper des grappes dont Renart fait semblant de se délecter.

Sauf que, au bon moment, Renart a tôt fait de secouer à deux mains l'arbuste qui, trop souple pour lui résister, laisse choir misérablement Joyeux à ses pieds.

– Si tu le veux bien, remettons à plus tard ta carrière de publiciste.

Renart lui tord le cou sans manières et le lance au loin dans la neige.

Enfin redevenu lui-même, il prend gravement le chemin du retour.

– As-tu fait bonne chasse? lui demande la rousse dès qu'il franchit la porte.

– Hermeline, je ne chassais point, je songeais. La nature est un grand livre et chacun devrait prendre le temps d'y trouver quelque enseignement.

– Te voilà bien philosophe!

– Ne le suis-je pas toujours?

La rousse n'en tirera pas davantage aujourd'hui. Elle retourne à ses fourneaux, sachant que le grand contemplatif dormira tout le reste de la journée, roulé en boule dans son épais fauteuil, au milieu des odeurs et des bruits de la vie, au milieu du jeu de ses propres enfants.

Brun

UN MATIN que le lardier était plutôt dégarni, Hermeline poussa Renart du coude, à l'aube, au moment de ses plus grandes ardeurs, et lui dit :

– Tu sais, je ne pourrai pas toujours nourrir la famille avec de la sauce blanche et de la ciboulette.

Le message était plutôt clair et Renart ne voulut pas l'entendre deux fois. Il se glissa immédiatement hors du lit, sans le moindre bruit, de peur d'éveiller ses enfants, et sortit en humant l'air un petit peu. Pour se diriger où ?

– Vers la mer, je pense.

Ce qu'il fit, à petits pas, à travers les taillis et les prés qui séparaient Maupertuis du Saint-Laurent. L'air était bon et la course agréable, en cette fin d'été, en ce début d'automne plein d'églantines éparpillées sur les grèves parmi des odeurs de coques et des rumeurs de marées. Dans l'anse, tout près du cap, François Beaudoin y avait une pêche à fascine qui s'étendait loin, loin dans la mer. Renart savait que Beaudoin venait vider ses caissons à marée basse, et la marée baissait. Renart se tapit, invisible parmi les rouches, et il attendit.

Le jour arriva comme on se dévêt dans la splendeur de soi-même en sa jeunesse et la nuit lui céda la place sans demander son reste.

Renart attendait toujours, mais un bruit lui apprit qu'il n'attendait pas pour rien. Un grondement de tracteur, lointain, mais se rapprochant, le rassura. Beaudoin venait vider les caissons de sa pêche.

«Pourvu qu'il ne me voie pas!»

Il ne le vit pas, tout occupé à manœuvrer tracteur et charrette sur la berge, à vider les caissons pleins d'anguilles et à revenir avant que la marée ne remonte.

Or, elle remontait, et Beaudoin se sentait tout à coup pressé de rentrer quand Renart s'étendit de tout son long sur la grève, sur le ventre, pattes allongées et queue à l'avenant.

«Ma foi, un renard mort! Et une maudite belle peau!»

Il arrêta, le ramassa, le jeta dans la charrette et poursuivit son chemin.

Renart, lui, lança une, deux, trois puis quatre anguilles sur le sentier, et quand il crut en avoir assez, il sauta du véhicule, ramassa les poissons, les enfila sur un bâtonnet et retourna à Maupertuis sans que Beaudoin se fût aperçu de quoi que ce soit.

– Voici, Hermeline ! Des anguilles pour toute la famille. Mais tu peux les servir avec une sauce blanche à la ciboulette.

– Renart, tu te moques de moi, mais tu as eu un appel téléphonique.

– De qui ?

– Brun.

– L'ours ?

– Qui d'autre ?

– Qu'est-ce qu'il me veut ?

– Voudrais-tu le lui demander toi-même ?

– Auparavant, je mangerais bien une brochette d'anguille à l'oignon, au poivron et à la tomate.

Et les voici tous deux à dépiauter les anguilles.

– Attention à la peau, Hermeline. J'en ai besoin pour mes lacets.

Alors, le téléphone sonna.

– Renart, tu mets bien du temps à répondre.

– Oh Brun ! Je vous prie de m'excuser. J'étais en excursion et j'arrive à l'instant avec une pleine jarre du miel le plus doux qui soit.

– Du miel, Renart ? Où as-tu trouvé ça ?

– Je vous le dirai plus confidentiellement, Brun. Les lignes téléphoniques ne sont pas sûres. Mais que me vaut ces appels de votre grandeur ?

– Renart, je suis maire du canton et il y aura élections municipales dans quelques semaines. Bien sûr, je compte m'y présenter encore et je ne doute pas que le seigneur de Beaurepaire sera réélu, mais je voudrais m'entourer de conseillers en qui j'ai confiance et j'apprécierais que tu poses ta candidature.

– Moi, conseiller du canton de Charlemine?

– Et pourquoi pas?

– Il faudra que j'y pense, monsieur le maire.

– Viens donc me voir, que l'on parle un peu de ce miel.

– D'accord, d'accord, d'ac!

– Merde! confia-t-il à Hermeline. Comment dire non à cet obtus personnage? Il pourrait rassembler une armée pour faire le siège de Maupertuis.

– Quelle est cette histoire de miel?

– Une histoire pour lui. Je n'allais surtout pas lui parler des anguilles.

– Renart, va donc le voir et accepte donc sa proposition.

– Hermeline, ton père, Germancel, me disait : «Avec ton intelligence, Renart, je serais déjà premier ministre.» Moi, je lui répondais : «Avec mon intelligence, beau-père, vous ne voudriez jamais l'être.» Tu me vois conseiller municipal?

– Non, mais je te vois courir chez Brun pour lui parler de miel.

Ce qu'il fit.

Le voilà en route pour Beaurepaire, coupant à travers les vergers et les bois pour arriver au ruisseau de l'anse à la Sacoche. Il s'y arrête un moment au bord d'une chute qui créait un bassin à ses pieds, se tapit entre deux rochers, et, en douze coups de patte, il en sort douze truites de ruisseau qu'il enfile sur une branche pour les offrir au maire du canton de Charlemine. Puis, se ravisant :

«Douze, c'est trop», dit-il, et il en gobe trois pour se donner du cœur.

Il trottine jusqu'à Beaurepaire et y va d'une grande révérence devant le maître des lieux qui l'attend à la porte.

– Que tiens-tu là, Renart?

– Presque rien, des truites qui m'ont été offertes par la nature, chemin faisant.

– Et le miel?

– J'ai pensé que nous y retournerions ensemble, demain peut-être, pour vous montrer les lieux et vous permettre d'y aller encore à votre convenance.

– Fort bien. En attendant, goûtons à ces petites. Hum! C'est un fort bon manger. Délicat, fragile et appétissant. Renart, tu es toujours habile en tes démarches et c'est pour ça que je veux te faire élire mon conseiller.

– Je suis très sensible à votre proposition, mais j'aimerais qu'on en reparle demain, lors de notre course au miel.

– Mais où diable as-tu trouvé ce miel?

– Vous connaissez mal votre canton, monsieur le maire. Près du cap à la Loutre, Nicolas Bouchard a un rucher dans son verger. C'est un jeu de s'y rendre. Si vous venez à Maupertuis tôt demain matin, nous pourrions y aller ensemble.

– Mais n'a-t-il pas des chiens redoutables?

– Redoutables? Et comment! Tabaus, Rigaus, Clarembaus, Triboulé et Plaisance sont des mastiffs à la griffe et à la dent précises, mais les chiens, maître, je m'en occupe. Tandis que vous ferez votre plein des délicatesses du rucher, j'irai me présenter devant les mastiffs qui se lanceront aussitôt à ma poursuite et je m'enfuirai vers la colline à Galou, vous laissant tout loisir de vous délecter. Apportez-vous des pots pour faire des provisions, peut-être.

– Renart, tu es vraiment le conseiller qu'il me faut. Acceptes-tu de te présenter aux élections?

– Cela m'intéresse et j'y pense très fort. Hermeline est plus réticente. Je vous donne ma réponse demain.

Là-dessus, le beau menteur rentre chez lui en faisant un détour par le poulailler de Jean-

Louis Tremblay pour y cueillir une poule qu'il offre dévotement à Hermeline.

– C'est décidé! Non seulement ne me présenterai-je pas aux élections, mais je vais me débarrasser de Brun.

– Que dis-tu?

– Je lui ai donné rendez-vous ici, tôt demain matin, et nous irons ensemble au rucher de Nicolas Bouchard. Tu sais qu'il a des mastiffs redoutables. Je les lâcherai sur lui et ils le mettront en charpie.

– Renart, tu es invraisemblable!

– Hermeline, je ne fais que nettoyer le canton. Voilà des années que Brun nous houspille, qu'il ne fait que gâter nos meilleures chasses. S'il en réchappe, au moins aura-t-il eu sa leçon.

Ce qui fut dit fut fait. Le lendemain, Brun arrive à Maupertuis aux belles heures de la rosée avec une panoplie d'écuelles et de pots, et, après qu'Hermeline lui eut offert le café, les voilà en route pour le verger de Nicolas.

Au sortir de la forêt, Renart dit à Brun :

– Voyez-vous ce que je vois?

– Jamais je n'ai rien vu d'aussi tentant. Renart, tu seras mon conseiller!

– Écoutez-moi bien. Nous entrons ensemble au verger et vous vous mettez à l'œuvre tandis que je fais le guet. Puis, si je vois les mastiffs s'agiter, je m'avance devant eux pour les provoquer, ils me courent après et je m'enfuis loin du verger pour vous laisser tout à l'aise dans vos travaux.

Brun en bave de délices et voici les intrus auprès des ruches que le maire s'empresse de saccager en se léchant les pattes. Renart, lui, s'avance jusqu'à la ferme, mais avec prudence. Il veut bien provoquer les chiens, mais non le fusil de Nicolas Bouchard. Il se pavane un peu, glapit au lever du soleil, et les mastiffs s'élancent vers lui.

Renart les devance, évidemment, et se dirige tout droit vers le verger.

– Attention, Brun, j'ai pris la mauvaise direction, s'écrie-t-il, et il disparaît en direction de Maupertuis.

Les chiens n'ont jamais eu la partie aussi belle. Le Roux est disparu mais le Brun est là. Haro! Et viens que je te morde! Et viens que je te taille!

Baffe contre baffe, Brun vient à bout des coquins qui voulaient venir à bout de lui.

À quel prix?

– Au prix de ma peau, de mon sang et de Renart. Renart mon conseiller? Mon cul!

Et c'est tout juste s'il réussit à rentrer à Beaurepaire, clopin-clopant, en pièces détachées, comme une sorte de chiffonnade.

– Renart ne sera pas mon conseiller, dit-il au miroir qui regardait ses plaies.

L'école d'hiver

– La Terre ressemble à un ballon qu'un marmotton, un renardeau, un ourson, un louveteau ou quelque autre bébé-la-la ferait tourner au bout d'une corde en courant dans les sentiers de la forêt. Et il y a beaucoup de jeunes qui courent comme ça dans les mêmes sentiers avec des ballons. De petits ballons, de moyens ballons et de gros ballons. Cela fait beaucoup de ballons qui tournoient au vent dans tous les sens. Ils s'aperçoivent et s'évitent, ou alors ils ne se voient pas et se heurtent. Tu m'entends bien, Guédine ?

Guédine n'entendait rien du tout. Il ronflait comme seule une marmotte sait le faire, le museau enfoui sous son bras. Mais Nez-rond, son frère, que la leçon intéressait pour une fois, lui donna un coup de coude qui lui fit relever la tête. Il promena autour de lui une paire d'yeux apeurés qui devinrent tout confus en rencontrant ceux de Mlle Crépine.

– La chaleur est insupportable ici. Fais-nous un peu d'air, Gris-gris !

Et Crépine la souris de reprendre sa leçon au sous-bassement du château de Beaurepaire où le gouvernement subventionnait l'enseignement pendant les mois d'hiver pour les enfants et les adultes des alentours, alors que la chasse ne rapportait que peu ou prou.

Gris-gris traîna lourdement sa grosse boule de fourrure vers le fond du souterrain et déplaça la bille qui bloquait la voie d'accès au terrier. Une fraîche odeur de neige et d'épinette pénétra dans la pièce et Mlle Crépine reprit sa leçon devant une douzaine d'élèves qui se pelotonnaient frileusement.

– Cela fait beaucoup de ballons qui tournoient et qui, parfois, se heurtent. Quand ils se heurtent, ils éclatent et les morceaux volent en tous sens, risquant de heurter d'autres ballons.

– Mademoiselle, il me semble qu'un morceau de ballon ne peut pas crever un autre ballon.

C'est Nez-rond qui avait posé la question et Mlle Crépine en rougissait de plaisir, tout en sachant qu'il était le seul à porter quelque attention à son enseignement, à ses leçons. En effet, les autres étaient là uniquement pour la subvention, obtenue par le maire du canton, Brun l'ours, qui assistait aux cours moins par intérêt que pour voir au bon usage de ladite subvention, qu'il espérait bien faire renouveler l'hiver suivant.

Brun se roulait d'une fesse à l'autre sur lui-même, mal à l'aise dans sa graisse, et se demandait comment une petite souris comme Crépine pouvait savoir tant de choses dans sa tête à peine grosse comme le bout du bout de sa queue.

– J'ai parlé de ballon pour vous offrir une image que vous puissiez comprendre. La Terre est ronde comme un ballon et elle se promène parmi d'autres ballons, comme le Soleil et la Lune. Mais ce ne sont pas des ballons vides ou pleins d'air, vous le savez bien. Quand vous vous lancez des mottes de terre, ou de neige, vous pouvez en faire, des dégâts!

Rires dans la classe, surtout au premier rang où Malebranche, Percehaie et Rovel, les enfants de Renart et d'Hermeline, étaient assis près des louveteaux d'Ysengrin et de Hersent. On ne connaît pas les prénoms de ces louveteaux, les parents ayant toujours été discrets sur le sujet pour préserver une certaine intimité familiale, une modestie, un anonymat souvent plus favorable à la chasse et à la filouterie que la force brutale du connétable, qui ne savait jamais camoufler sa bravoure ni ses méfaits.

– Alors, imaginez la catastrophe s'il fallait que les ballons Terre et Lune entrent en collision.

– Ça ne se peut pas puisque ça n'arrive jamais!

– Mon cher Nez-rond, la vie d'une marmotte est bien courte. Avant ta naissance, il s'est passé des millions et des millions de choses que tu ne reverras jamais et il en surviendra tout autant après ta mort.

Brun crut bon d'intervenir.

– Mademoiselle Crépine, les choses que vous nous racontez là sont bien difficiles à comprendre et je me demande si cela est bien utile. Moi, je pensais que les cours d'hiver devaient nous aider à vivre mieux.

Remue-ménage dans l'assistance.

– Je croyais que vous alliez nous parler des renards, des loups et des hommes. Je croyais que vous alliez nous aider à mieux les éviter. Au lieu de ça, vous nous arrivez avec des histoires de ballons qui se promènent. C'est à nous décourager des études que de nous raconter des histoires pareilles.

– Il y a de tout dans les études, monsieur Brun. Pourquoi vous parlerais-je des renards, vous qui les connaissez si bien?

Remue-ménage dans l'assistance et Brun penche la tête.

– Oui, vous les connaissez si bien que ce serait à vous de nous en parler et je vous céderai volontiers ma place quelque soir pour ce faire. Mais puisque Charlemine est le pays des marmottes, c'est mon devoir de vous raconter ce qui est arrivé ici avant que les marmottes n'arrivent et ne vous y attirent. Cela ne vous donnera pas de grillades à manger pour l'hiver, mais je voudrais en venir à vous faire comprendre pourquoi votre pays est comme ci et non comme ça. Il y a des raisons à toutes choses. Pourquoi n'essaieriez-vous pas de comprendre ce que vous pouvez comprendre? Il me semble que cela vous donnerait une certaine fierté, monsieur le maire.

Silence dans l'assistance. Jusqu'à ce que Brun relève la tête et reprenne la parole.

– La fierté, pour moi, c'est de nourrir ma famille et de n'embêter personne.

– On a tout l'hiver pour apprendre et le gouvernement nous paye, intervint Rufus, le cousin de Renart. Quand bien même il y aurait des soirs où l'on n'apprend rien, ça ne dérange personne.

Cela ne dérangeait pas Rufus, en tout cas, car il avait passé la soirée à rêvasser, le menton appuyé sur la patte. S'il croyait que son intervention allait satisfaire mademoiselle, il en fut quitte pour ses intentions.

– Ne me laissez pas vous dire que vous êtes des imbéciles. Ce ne serait que moitié vrai. Mais vous êtes encore plus paresseux que les hommes, et ça, je ne l'accepte pas. Que vous le vouliez ou pas, je vais vous expliquer l'origine de Charlemine et c'est la plus belle chose que je puisse vous enseigner. Tant pis si ça ne vous intéresse pas ! Vous êtes payés pour m'écouter et moi je le suis pour vous parler. Or, sachez bien que je ne veux plus être interrompue.

Elle était en colère, d'une colère qui suffit à ramener le calme dans la classe et qui, mieux encore, rendit son cours plus vivant, plus intéressant.

– Vous vous imaginez que la terre est un monde stable que les marmottes modifient à leur guise quand ils peuvent tromper les ruses de l'Homme, de Renart ou d'Ysengrin…

Silence dans l'assistance.

– Eh bien non, l'homme et les bêtes sont tous soumis aux mêmes lois, l'hiver et l'été, la neige et la pluie, le vent et la sécheresse, et tout cela dépend d'abord des grands voyages que font ensemble les astres Terre, Lune et Soleil. Sans compter beaucoup d'autres astres dont je ne vous parlerai pas pour ne pas vous mêler davantage.

Grognement de Brun.

– L'hiver, mes beaux, ce n'est pas un manteau blanc qui vous tombe sur le dos par hasard. C'est ce qui arrive à la Terre quand elle se place de telle façon que le Soleil n'arrive plus à la chauffer partout.

« Mais je reviens à mes ballons qui tournoient.

«Il y a trente-cinq millions d'années, c'est-à-dire huit millions de vies de marmotte avant vous, deux ballons géants sont entrés en collision dans le ciel et les morceaux ont revolé partout. Les morceaux se sont promenés dans les airs comme des flocons de neige pendant la tempête et il y en a un, grand comme cent fois la grange d'Eugène Audet, qui est venu tomber tout près de l'endroit d'où je vous parle.»

Émoi dans la classe. Silence de Mlle Crépine. Elle regarde ses élèves d'un œil vainqueur et elle continue.

– Qu'est-ce que vous pensez qu'il est arrivé? Il s'est fait un trou énorme dans Charlemine, en même temps qu'une explosion plus forte qu'un million de coups de fusil. Le sol a fondu comme de la neige au soleil. Ensuite il s'est figé un peu et a voulu reprendre sa forme. Vous savez tous comment se cicatrise une morsure : votre poil disparaît et votre peau se boursoufle là où elle se recoud. Le sol a fait de même. Il a guéri de sa blessure, mais il en a gardé une cicatrice.

Étonnement dans la classe. Silence et attente de la révélation.

– Cette cicatrice, c'est la montagne du Téton dont nous sommes tous si fiers et qui, depuis des siècles, sert de boussole à toutes les bêtes de Charlemine, la montagne au flanc de laquelle Noble le lion a installé sa résidence de Tourmaline. Oui, cette montagne est tout simplement le résultat d'une collision entre la Terre et un débris de planète.

«Par la suite, la Terre s'est virée de bord en boudant le Soleil et elle s'est couverte de glace. Plus tard, elle a cédé à ses instances et la glace a fondu. Elle a fondu tant et tant que la mer a recouvert presque tout Charlemine, mais pas la montagne du Téton. Puis, la mer s'est retirée pour devenir un fleuve, celui que nous voyons devant nous. Alors, les épinettes se sont mises à pousser. Et les pins et les bouleaux et les trembles. Les prairies se sont couvertes d'herbe, de pissenlits, d'épervières et de plantain.»

– Et les framboises? Et les bleuets?

– En même temps, monsieur Brun.

– Et les marmottes?

– Elles sont arrivées peu après, Nez-rond.

– Et Renart?

La voix fit sursauter toute l'assistance. C'était celle de Renart lui-même qui était entré à l'insu de tous pour venir chercher ses enfants qu'il ne croyait pas en sécurité dans le château de Beaurepaire.

– Toi ici, bandit?

– Trêve, Brun! Nous sommes en école d'hiver.

– Renart a suivi les marmottes.

« Voilà. C'est tout pour ce soir et je vous donne tous vos points, mais il ne pourra toujours en être ainsi. Tâchez d'être plus attentifs la prochaine fois, sinon je ferai rapport au gouvernement et il pourrait y avoir des réductions de salaire. Non que je veuille faire du chantage, mais je crois toutefois qu'on devrait manifester un minimum d'attention quand on a le privilège d'être payé pour étudier. »

Et sans attendre de réplique, Mlle Crépine disparut par un trou sous son bureau.

Toutou

AU CONTRAIRE DE BRUN, Bobonne, son épouse, avait un petit chaud pour Renart qui, sans la courtiser, laissait parfois une outarde, un canard, un lièvre ou une poularde à la porte de Beaurepaire quand il savait monsieur le maire absent. Il n'y avait jamais de signature, mais, pour Renart, c'était sa façon de faire la paix avec les voisines du canton et le fait est que les voisines l'aimaient, le trouvaient racé, fin, alors que leurs maris, machos et balourds, auraient tous voulu l'étrangler.

Pauvre Bobonne, toujours à la maison, n'osant presque jamais sortir, vivant dans l'ombre de Brun, plus servante qu'épouse et entendant son mari maugréer à longueur d'année contre tout ce qui contrariait ses intérêts dans le canton.

La seule distraction de Bobonne était d'aller parfois pêcher à la tape au ruisseau de la Soutane, et ce passe-temps lui fut fatal.

Un matin, à l'aube, Brun était allé piquer un agneau sur la ferme de Jasmin Dufour et, sans avoir été vu, il avait laissé la trace de ses pas dans la terre grasse de l'enclos, et, de ferme en ferme, on maudissait le châtelain de Beaurepaire.

Bobonne n'était en rien responsable des exactions de son mari qui ne la consultait jamais, sans toutefois se priver de raconter à haute et terrible voix les maléfices de tout un chacun dans des monologues qui n'en finissaient plus, à l'heure du souper surtout.

Un soir qu'elle lui servait du canard à l'orange, il s'interrompit soudain pour lui demander :

– Mais d'où vient ce canard?

– Comment le saurais-je? Je l'ai trouvé à la porte en sortant la lessive et j'ai cru que tu l'y avais laissé, pressé dans tes courses.

– Jamais!

– N'est-ce pas toi qui laisse également un lièvre, une outarde ou une poularde à l'occasion?

– Jamais! Bobonne, tu me trompes?

– Jamais! Je croyais que tu laissais ces victuailles à la porte, occupé que tu étais à être occupé.

– Je devine! Je devine! Ce doit être Renart, le vilain roux, qui séduit toutes les femmes du canton pour sauver sa peau que tous les mâles du canton voudraient voir accrochée au mur.

– Tu crois?

– J'en suis sûr.

– Tu ne cesses jamais d'en parler, mais je ne l'ai jamais rencontré.

Ce printemps-là, Bobonne eut un joli ourson et Brun eut l'audace d'aller cueillir un autre agneau sur la ferme de Jasmin Dufour.

C'en était trop pour le fermier, qui se mit en chasse tandis que Brun présidait déjà une assemblée du conseil municipal.

Et c'est ce jour-là que la pauvre Bobonne était allée pêcher à la tape avec son ourson sous le bras.

Jasmin Dufour, passant par là, ne fit ni une ni deux et lui logea un bonbon dans la caboche. Il déposa son fusil et s'apprêtait à dépouiller l'ourse de sa pelisse et à emporter l'ourson quand il fut brutalement assailli par-derrière.

C'était Renart qui l'avait suivi en catimini. Il lui prit une mordée à la nuque, qui terrassa Jasmin Dufour illico.

Sans demander rien de plus, Renart prit l'ourson dans ses bras pour l'emmener à Maupertuis, mais il revint bientôt sur ses pas pour s'emparer du fusil de Jasmin Dufour.

« Ça peut toujours servir », se dit-il.

En voyant Renart avec l'ourson dans ses bras, Hermeline crut s'évanouir et elle fut très attentive au récit de son époux.

– Renart, tu es magnifique, mais nous ne pouvons garder le petit et l'élever avec nos propres enfants.

– Je sais, mais je ne vais pas rendre ce petit chéri à son balourd de père. Je connais des gens de grand cœur qui sont sans enfant et qui se feront une joie de l'adopter.

– De qui parles-tu ?

– De Jamu et de Madada, les orignaux qui vivent au-delà de la savane aux Chicots. J'y vais de ce pas.

Comment décrire l'émotion dans le château de Grand-Hallier quand Renart s'y présenta avec son trésor? L'ourson fut cajolé sous toutes ses coutures et il eut droit à un premier biberon de lait chaud et de miel.

D'un commun accord, Jamu et Madada l'appelèrent Toutou et ils veillèrent avec amour sur son enfance.

Quant à Brun, il constata simplement que sa femme était morte, il s'en trouva une autre et ne s'interrogea jamais sur le sort de l'ourson.

Malebranche

MALEBRANCHE est assis dans l'herbe et joue avec les animaux en papier mâché que lui a offerts sa tante Antoinette, dite Tony.

Renart et Hermeline ont acheté un terrain haut dans la campagne, où ils ont construit le château de Maupertuis, dans un merveilleux fouillis de prés, de marécages, de ruisseaux, de bois et de collines, et où les paysages, toujours en désordre, défient tout zonage agricole ou urbanistique.

Il y a des vaches par-ci et des poules par-là.

On entend souvent grogner les cochons que M. Jolicœur garde dans la soue derrière sa grange.

Le midi, un ou deux chevaux, debout, se reposent quelque part à l'ombre d'un arbre.

Les potagers sont bien peignés aux abords des maisons ou dans les pentes, et, en pleine forêt devant le château, il y a un large sentier où passent tous les animaux forestiers, plusieurs en sacrant contre le maître des lieux.

Malebranche est tellement petit que le désordre et les sacres ne le dérangent pas.

Il se contente de regarder un peu le paysage pendant qu'il joue dans l'herbe, à quatre pattes, tout seul parce que ses frères, Rovel et Percehaie, plus grands, sont en train de courir les ruisseaux à travers les collines et que ses sœurs, plus petites, ne sortent pas encore de la maison.

Sur la galerie, il y eut d'abord une chatte, puis un matou. Après quelques années, cela fit dix-sept chats, et Malebranche joue souvent avec eux.

Toutefois, il n'aime pas être dérangé quand il installe sa ferme expérimentale dans l'herbe de la cour, avec des clôtures bien alignées, des bâtiments en carton qu'il a construits pour moitié, qu'il a barbouillés au crayon de cire et qu'il change de place au gré de ses humeurs parmi les chats qui vont et viennent pour chasser souris et mulots dans la forêt et dans les champs.

C'est juillet, les foins sont mûrs et les faucheuses s'affairent à la moisson.

Tandis qu'il organise sa ferme pour une vingtième fois, Malebranche entend une plainte sous les pommiers derrière lui. Il n'y porte aucune attention, car quelques moutons doivent être changés de place parmi les larges feuilles de plantain qui couvrent le sol de la cour.

Mais la plainte se fait encore entendre et elle intrigue un peu Malebranche, toujours fort occupé avec ses troupeaux.

À la troisième plainte, Malebranche se lève et descend vers le bas du verger, sous les pommiers et les pruniers.

Cela lui est interdit à cause de son âge et à cause d'une opération récente qu'il a subie à l'aine, mais Malebranche descend sous les pommiers et les pruniers.

Il entend encore la plainte et il découvre soudain Maman-Minette près d'une touffe de framboisiers, une Maman-Minette qui s'est fait couper la queue et la patte arrière gauche par une faucheuse dans le champ voisin où elle cherchait de l'air et des mulots.

Malebranche se croit soudain un vrai héros.

Il prend Maman-Minette dans ses bras et la ramène vers la maison où il la mettra à l'aise dans une boîte de carton, garnie d'un peu de paille, qu'il déposera, bien à l'abri, dans le hangar.

À peine est-il retourné à sa ferme qu'un autre chat entre en scène. Un chat noir et blanc, comme Maman-Minette, mais tellement différent. Il a une toute petite tête, fouineuse, deux grandes raies blanches sur le dos et une belle queue en parasol.

Malebranche s'apprête à l'attraper quand Renart intervient vigoureusement, le prend par le fessier et l'emporte dans le château de Maupertuis.

– C'est Parfum la mouffette. Tu ne vas pas faire entrer ça dans la maison! Elle pue comme ce n'est pas possible.

Malebranche regarde par la fenêtre et voit Parfum se promener de-ci de-là parmi ses enclos. Elle gratte la terre et fouine partout. Pourquoi? Pour manger des vers et des limaces, comme Malebranche l'apprendra plus tard dans les livres savants consultés à la bibliothèque de Sainte-Poulette.

Malebranche la regarde avec curiosité, avec passion, jusqu'à ce que la mouffette se lasse et prenne elle-même le chemin des pommiers, des pruniers et du champ voisin par où Maman-Minette était venue.

Se retournant alors vers Hermeline, Malebranche dit :

– Maman, cela ferait un très beau chat s'il ne puait pas.

Tiecelin

DEPUIS Ésope en la haute Antiquité, en passant par le Moyen Âge et jusqu'à Jean de La Fontaine au dix-septième siècle, on a diversement raconté l'histoire de Tiecelin le corbeau et de son fromage, et sans doute ces récits étaient-ils véridiques, mais voici comment les choses se passèrent dans le canton de Charlemine avec l'astuce que l'on connaît à Renart.

Rôdant un soir au trécarré des fermes du rang de Blagousse en quête de quelque proie, il entendit Chanteclerc sonner le rassemblement de ses poules pour les convier à la sécurité de leur dortoir avant la tombée de la nuit.

Or, ce soir-là, une pleine lune montrait un premier morceau de son front au-dessus des Appalaches de la Côte-du-Sud et Renart, comprenant que la nuit serait bien peu sombre, s'imagina qu'il y aurait sans doute quelques têtes folles pour s'attarder à gratter le fumier, malgré l'appel du chevalier à la trompette, et il gagna la ferme en se glissant inaperçu le long des haies.

Manque de pot, elles étaient toutes entrées au pensionnat, dont la porte, solidement verrouillée, interdisait toute intervention, surtout avec Rooniaus le mâtin attaché à l'entrée de l'étable et qui aurait sonné l'alerte avant même que Renart ne puisse entamer l'assaut. Il contourna donc le poulailler pour examiner les lieux sans être vu. Rien à faire. Jean-Baptiste Tremblay avait bien placardé la résidence de ses gélines et Renart s'apprêtait à regagner le trécarré quand une puissante odeur lui ouvrit les narines et fit s'émouvoir toutes ses papilles gustatives.

Eh oui, en plus de quelques poules, d'un coq et d'un chien de garde, Jean-Baptiste Tremblay élevait surtout des vaches dont il utilisait le lait pour fabriquer des fromages d'une bonté, d'une onction, d'une douceur qui n'avaient d'égale que leur puanteur, des fromages à pâte molle qu'il achevait d'affiner sur des claies, en plein air, après un long séjour sur d'autres claies, dans son caveau à légumes.

Le caveau était impénétrable, hélas! et les claies où achevaient de mûrir les précieux morceaux étaient montées sur des perches à trois mètres du sol, à l'abri de tous les prédateurs du genre Renart et comparses.

Pas fou, le Jean-Baptiste Tremblay!

Renart allait rentrer chez lui penaud et le ventre vide quand, dans une clairière non loin de Maupertuis, il surprit des lièvres qui dansaient sous la pleine lune. En moins de rien, il en faucha trois et, tout guilleret, leur attacha les pattes en un collier qu'il se passa au cou et sous les bras pour les emporter à Maupertuis, sans oublier une seconde les délicieux fromages qu'il avait humés et, surtout, sans oublier de chercher le moyen de se les approprier. Il songea bien à regagner Blagousse quelque jour, à s'y fabriquer une échelle et à ramper le long des haies à la nuit tombée, mais c'était là corvée considérable et il chercha quelque autre stratagème.

«Tiecelin le corbeau pourrait m'aider, se dit-il, mais serait-il fiable?»

Sa pensée se tourna alors vers Criarde la corneille, cousine de Tiecelin. Il la connaissait bien car elle venait souvent croasser dans les grands hêtres qui bordaient Maupertuis et Renart la saluait toujours courtoisement dans l'espoir de l'approcher un jour et de la gober pour la faire taire à jamais. Mais Criarde, fort naïve, n'avait pas lieu de s'en douter.

Le lendemain donc, tandis qu'elle y allait de ses vocalises matinales, il la héla de sa porte.

– Descendez donc que je vous parle, dame Criarde. J'ai fort bonne proposition à vous faire.

– Je me méfie de vous, Renart, et ne descendrai pas trop bas.

– La plus basse branche suffira et vous savez que je ne puis l'atteindre.

– Fort bien.

Et la voilà qui s'installe pour écouter les propositions du vilain roux.

– Criarde, aimez-vous les fromages à pâte molle, longuement affinés?

– Et comment! Charognarde, je mange tout ce qui pue et qui est bon.

– Connaissez-vous la ferme de Jean-Baptiste Tremblay à Blagousse?

– Pas très bien.

– Si vous acceptez de m'y accompagner ce soir, je vous promets une fabuleuse récolte.

– Ma foi, Renart, vous m'y tentez fort. Où nous rencontrerons-nous?

– À la croix de chemin des rangs de Blagousse et de Misère au lever de la lune.

– Fort bien, sur ma parole j'y serai.

– Tope là, répond-il sans lui demander de descendre pour lui donner la main.

Renart est tout excité, ignorant que Criarde, un peu craintive, s'en va immédiatement consulter son cousin Tiecelin.

– Bonne affaire, dit Tiecelin. J'y serai sans qu'il me voie et le trompeur sera trompé.

À la brunante, voici donc Renart caché au pied de la croix et voici Criarde qui vient s'y percher.

– Les claies sont derrière le poulailler. Vous me laissez cinq minutes pour faire le tour des bâtiments et m'y glisser par-derrière, ensuite, sans bruit, vous venez vous percher sur les claies, vous vous saisissez d'autant de fromages que vous pouvez, vous les jetez dans mon filet, je file le long des haies et nous nous rejoignons encore sous la croix du chemin pour partager le butin.

Criarde est toujours inquiète, mais elle se rassure car Renart n'a point vu Tiecelin, perché sur la girouette de la grange. Elle s'envole donc, s'empare de six fromages, les jette dans le filet de Renart et retourne aussitôt vers la croix, tandis que Renart veut se faufiler vers les haies. Mais ne voit-il pas soudain Tiecelin s'abattre sur les claies pour s'y gaver lui aussi. À vive allure, Renart change de direction et passe devant Rooniaus qu'il sait attaché. Ce denier saute en l'air avec force jappements qui attirent Jean-Baptiste Tremblay dehors avec son douze. Il inspecte rapidement les lieux tandis que Rooniaus tire sa chaîne en direction des claies, et là Jean-Baptiste s'exclame en vitupérations.

– Ah! pendard de bandit! Oiseau de Satan, tu goûteras de mon feu.

Pan! Pan et boum! Mais Tiecelin n'a pas attendu son reste, s'envolant malgré les petits plombs qui lui brûlent le croupion et les plumes qu'il y perd. Il atterrit lui aussi près de la croix et Renart veut l'assommer d'une baffe, mais il réussit à s'envoler tout juste à temps, de peine et de misère.

– Voilà qui est bien fait pour un coquin, dit Renart. Mais vous, Criarde, vous êtes une gente dame et je jure sur la peau d'Hermeline, je vous jure un juste partage de notre butin, sauf qu'il est trop lourd pour vous. Je l'emporte à Maupertuis et vous viendrez vous servir à loisir.

Le lendemain, Criarde croasse au-dessus de Maupertuis et voici Renart qui sort avec un beau fromage dans une assiette de faïence qu'il dépose sur une souche. Puis il s'éloigne pour ne point l'effaroucher. Criarde descend, cueille le fromage, le dépose sur la fourche d'une haute branche et crie :

– Renart, vous êtes merveilleux.

– Et vous, une gente dame, répond Renart, entouré d'Hermeline, de Malebranche, de Percehaie et de Rovel. Revenez demain à pareille heure pour la seconde distribution.

Dans l'arbre voisin, Tiecelin s'époumone à crier :

– Renart, tu n'es qu'une crapule et un fourbe, un fourbe et une crapule, rouge comme l'enfer où tu iras rôtir.

Ysengrin (I)

YSENGRIN le loup, grand connétable du pays et cousin de Renart par la fesse gauche de sa grand-mère, le plus faraud des prétentieux et le plus prétentieux des farauds, déjeunait ce matin-là dans les jardins du Ritz avec sa dame Hersent quand Renart se présenta avec Hermeline et leurs trois enfants, Malebranche, Percehaie et Rovel.

C'était jour de grande fête, la Saint-Jean-Baptiste, et le Ritz avait pavoisé en conséquence.

– Je ne rêve pas? Renart, le maigre, et sa famille! Comment ont-ils les moyens d'ici venir déjeuner? Par une filouterie quelconque, je suppose.

– Tu en as trop contre Renart, dit Hersent. Moi, je l'estime assez.

– Ne l'estime surtout pas trop, lui lança-t-il en la regardant d'un œil torve.

Couart le lièvre, de service ce matin-là, frémissait un peu dans ses culottes de devoir recevoir Renart en même temps qu'Ysengrin et il eut la maladresse de les attabler côte à côte.

Feignant la surprise, Renart y alla d'une révérence en disant :

– Bien le bonjour, monsieur le connétable.

– Garde tes bonjours, fripon! Pourquoi venir me relancer dans les quelques loisirs que je peux m'offrir?

– J'avais promis à Hermeline et aux enfants de les emmener ici en ce jour de fête. Avoir su que vous étiez ici, je les aurais invités ailleurs.

– Renart, tu es plus puant que Carcajou!

Dans un coin du jardin déjeunaient Pouti, le raton laveur, et son amie Blanchermine.

– Tiens bien ta tasse de café, ça pourrait barder, dit-il, en continuant de mâcher son steak, impassible sous le loup de velours qui lui couvrait les yeux et l'anonymat. Renart a beau être rusé, Ysengrin est féroce.

– Partons d'ici, allons manger ailleurs, dit Hermeline.

– Pour rien au monde. J'y suis, j'y reste. Que mangerez-vous, chers enfants? demande-t-il devant un Couart tout tremblant, avec son carnet et son crayon.

– Des œufs brouillés à la ciboulette, avec une poitrine de géline sautée au citron, dit Malebranche.

– Un œuf à la coque avec des mouillettes à l'estragon, dit Percehaie, et je piquerai un peu de blanc de poulet à Malebranche.

– Une omelette au fromage entourée de nouilles au cerfeuil, dit Rovel, et quelques tranches de saumon fumé, si vous en avez.

– Et toi, Hermeline ?

– Une platée de fruits, s'il vous plaît. Ce que vous avez, avec un peu de fromage blanc et du miel. Et toi, Renart ?

– Couart, vous avez bien du poisson ici ?

– Certainement !

Alors, Renart se lève solennellement et, défiant du regard son voisin de table, il dit simplement :

– Je voudrais un loup rôti, sur un lit de riz, avec des asperges aussi fraîches et grasses que ma queue.

Ysengrin ne fait qu'un saut, le poil à l'horizontale, les dents luisantes et les griffes tendues en accents graves.

– Messire, lui dit Renart, gardez vos emportements. Le Ritz n'est point le lieu de livrer bataille singulière.

Hersent tire son mari par la queue.

– Il a raison. Calme-toi, Ysengrin.

– Dame Hersent, reprend Renart, j'oubliais de vous faire mes politesses et je m'en excuse amplement.

Et lui prenant la main, il la couvre de baisers.

Ysengrin a le feu qui lui sort par la bouche, le nez, les yeux, les oreilles et un autre orifice qu'on ne saurait désigner. Pis que pire, Hersent lui tend la main pour l'apaiser, cette main que le vilain roux vient de couvrir de baisers.

Tout l'hôtel est sur les dents et Couart se cache derrière son comptoir.

Dans son coin, Pouti dit à Blanchermine :

– Ça va être du sport quand on sortira d'ici. As-tu déjà vu un *demolition derby*?

Il n'y eut rien de tel, car Ysengrin, mauve de colère, s'étouffa avec un salpicon de canard à la poulette et serait peut-être mort sur-le-champ si Renart ne s'était précipité pour lui pratiquer un vigoureux massage stomacal et lui faire régurgiter ce qu'il avait trop goulûment avalé. En le remerciant, Hersent lui passa une main affectueuse sur l'épaule, puis sortit avec son mari au grand soulagement de la clientèle, devant une Hermeline qui avait maintenant le feu d'Ysengrin dans les yeux, sinon ailleurs.

– Renart?

– Eh oui, Hermeline! Il faut ce qu'il faut.

– J'aimerais un chocolat chaud, dit Percehaie.

– Moi aussi! Moi aussi! crièrent Malebranche et Rovel.

– Le sport sera plutôt à Maupertuis, dit Pouti à Blanchermine.

Percehaie

AVEC SON PETIT PANIER, Percehaie s'en allait aux framboises en ce bel été qui coulait partout sur les frondaisons, les haies et les charmilles de Maupertuis.

Encore ado, mais beau garçon, Percehaie ne prêtait nulle part aux querelles de son père avec le connétable et, surtout, ne portait nulle oreille aux racontars des affinités de Renart avec Hersent, la dame d'Ysengrin. Il allait son petit bonhomme de chemin, débarrassant le domaine de Maupertuis de toutes ses taupes, pêchant des truites sous l'ombre des épinettes au ruisseau de la Commère, et très à la veille de faire du grabuge dans le poulailler de sire Jean-Baptiste Tremblay dont le coq, Chanteclerc, était une provocation quotidienne avec ses cocoricos qui annonçaient non pas tant le début du jour que la fin de la nuit.

Voici donc Percehaie qui, en ce beau matin, prend le sentier de Courtépine pour se diriger vers Longbuisson, non loin de Malmaison, le château d'Ysengrin.

Oh! les framboises! Abondantes, douces et juteuses dans la framboiseraie au bord du ruisseau!

Percehaie en remplit son panier, s'en gave et s'endort de béatitude, pelotonné sur lui-même au milieu de cet éden.

Combien de temps dormit-il? Difficile à dire, mais il fut éveillé par un pas, un fouaillement parmi les framboisiers. Ouvrant un œil et puis l'autre, il eut, en se levant un peu, la plus belle vision qui se puisse voir en ce bas monde, Fouillementhe, la fille d'Hersent et d'Ysengrin, qui cueillait des framboises auprès de lui dans une jolie robe imprimée de fleurs de cosmos. Sans doute ignorait-elle sa présence, alors il fit un peu de grouillement pour ne point trop la surprendre, tout en lui faisant tourner la tête.

– Oh!

– Excusez-moi. Je m'étais endormi après ma cueillette.

– Vous m'avez tant surprise, tant fait sursauter! Mais vous êtes Percehaie, le fils de Renart, si je ne m'abuse.

– Et vous êtes Fouillementhe, la fille d'Ysengrin, non?

– Oui.

– Est-ce que les framboises ne sont pas délicieuses?

– Superbes!

– Sauf qu'il vous en reste, au coin de la bouche, un petit morceau dont je vous débarrasserais volontiers.

– Faites, faites je vous prie, dit-elle en mettant de côté son petit panier.

Les voilà donc qui se bécotent un petit peu.

– Percehaie, vous êtes un malotru comme votre père.

– Et vous, Fouillementhe, une fine mouche comme votre mère.

– Oh!

– Oh!

Passons le voile sur la chose, car les voilà qui se bécotent encore, qui se frottent, se dorlotent et se tripotent parmi les framboisiers, dans la splendeur de leur jeune âge. Essoufflée, Fouillementhe dit dans un soupir :

– Vous êtes un ardent cueilleur.

– Non moins que vous, chère amie.

Et les voilà qui recommencent, encore, encore et jusqu'à l'épuisement.

Fouillementhe, à moitié morte, soupire de fatigue et de bonheur.

– Percehaie, je n'en puis plus, mais foi de jeune louve, votre prénom ne vous trompe pas.

– J'aime tellement les framboises, dit Percehaie, et, main dans la main jusqu'au carrefour de Trompelune, ils repartent vers le château de leurs parents.

Noble

CONSCIENT des écrits les plus originaux et les plus anciens concernant le récit des exploits de Renart, Noble, qui se tenait informé de l'histoire par son notaire, Grimbert le blaireau, savait fort bien qu'il n'y avait de lion ni en Grèce, ni à Rome, ni ailleurs en Europe, et surtout pas dans le Paris de Jean de La Fontaine, et comme tous ces récits ne parlaient que de Noble le lion, il en garda le titre, bien qu'il ne fût qu'un couguar, surtout parce qu'il régnait en maître, aussi bien dire en lion, sur le canton de Charlemine.

Arrivé de peu dans le pays, il avait construit son château de Tourmaline à mi-hauteur de la montagne du Téton pour être certain de dominer le pays et pour mieux être à l'affût des cerfs dont il raffolait.

Sa venue n'avait réjoui ni Brun l'ours, le maire, ni Ysengrin le loup, jusque-là les deux fiers-à-bras de la contrée. Quant à Renart, il s'en fichait éperdument et saluait le nouveau venu avec courtoisie au hasard de leurs rencontres furtives. Pour apaiser les susceptibilités, Noble avait fait d'Ysengrin son connétable tout en confirmant Brun à la mairie.

Brun fréquentait peu le roi, se contentant de répondre aux invitations à des dîners officiels, mais Ysengrin, plus ambitieux et plus faraud, rôdait sans cesse aux alentours de Tourmaline dans l'espoir de rendre quelque service et d'en recevoir une grasse récompense. Noble s'en servait surtout comme rabatteur pour le gibier et les deux battaient la campagne à des kilomètres à la ronde.

Brichemer le cerf n'aimait pas trop la situation, lui non plus, et il s'était approché de Noble pour s'assurer que lui et les proches membres de sa famille soient épargnés.

– Les intrus ne manquent pas, dit-il au roi, et vous pouvez faire bombance hors du canton de Charlemine sans la moindre contrainte.

– Je te fais mon grand sénéchal, lui dit Noble pour le rassurer, et Brichemer repartit en branlant fièrement le panache.

Il y avait toutefois une autre mécontente dans le paysage, Fière, la femme de Noble.

– Du cerf! Toujours du cerf! Rien que du cerf! Je n'arrête plus d'en faire, des gigues, des pâtés, des terrines, et j'ai beau varier les menus à l'infini, cela revient toujours au même. Il me semble pourtant qu'un roi digne de ce nom pourrait, à l'occasion, s'offrir un tendre veau de lait, si plaisant à rôtir et à déguster avec une gelée de pimbina, un gratin de pommes de terre et une salade à l'oseille.

– Un veau de lait?

– Un veau de lait, rien de moins.

– Où pourrais-je trouver un veau de lait? demanda Noble à son connétable.

– Je ne prévarique jamais chez les paysans, répondit Ysengrin. Cela est plutôt du ressort de monsieur le maire, qui aime bien les ruchers, ou alors, du plus fourbe de vos sujets, Renart, le puant roux qui ne vit le plus souvent que de rapines autour des bâtiments de ferme, ce qui amène la colère des fermiers et le tonnerre de leur fusil contre toute notre confrérie, qui respecte pourtant leurs biens, à moins que leurs moutons ne s'approchent trop près de l'orée des forêts.

– Qu'on m'amène Renart, répondit Noble. J'ai à le consulter.

– Sauf votre respect, sire, je n'irai pas quémander une rencontre à Maupertuis. Dépêchez-y plutôt votre notaire, Grimbert le blaireau, le propre cousin de Renart.

Ce qui fut dit fut fait et voici Grimbert qui frappe à l'huis de Maupertuis.

– Cher cousin, quel bon vent vous amène?

– C'est Noble le roi qui vous mande pour un service qu'il vous décrira lui-même.

– J'irai pour sûr, mais avant notre course, vous mangeriez certainement une brochette d'écureuils, de champignons, de tomate et d'oignon qui rôtit lentement au-dessus du feu.

– Cousin, vous m'en faites baver.

Et les voilà qui causent avec Hermeline qui leur sert un verre de cidre doux, tandis que les enfants jouent sur le plancher avec une souris morte. Renart et Hermeline voudraient bien connaître le sens de la mission, mais Grimbert reste muet. Dès le repas terminé, bâton à la main, Hermeline, le notaire et Renart prennent le chemin de Tourmaline.

Noble et dame Fière les accueillent chaleureusement avec un vin de gadelle de dame Geneviève, sœur de Noble. Assis dans son coin, taciturne, Ysengrin a également droit à l'apéro, mais, de toute apparence, l'humeur lui fait défaut.

– Renart, j'irai droit au but. Fière, ma chère épouse, est lasse de manger du cerf et me réclame un veau de lait. Vous seul, semble-t-il, connaissez bien les fermes et sauriez nous guider, Ysengrin et moi, en un lieu pas trop éloigné où nous pourrions faire bonne chasse.

– S'il n'est que de cela, sire, un coup de téléphone aurait suffi. Aucun fermier n'a de si beaux veaux que Raphaël Gauthier, dans le rang du cap à la Lune. Ils sont dans un enclos derrière la grange, un enclos facile à percer, et Raphaël y introduit sa vache Blanchebrune soir et matin pour leur donner la tétée, après quoi ils sont laissés à eux-mêmes. L'idéal serait de vous y introduire à la tombée de la nuit et de vous y servir à souhait. Peut-être devriez-vous inviter Brun pour avoir un peu d'aide.

– Inutile, répond Noble, blessé dans la sous-estimation de ses capacités.

– Sauf que Raphaël a les plus puissants dogues du voisinage, réplique Ysengrin.

– Oh! si Ysengrin a peur des dogues, je puis m'en charger, ironise Renart. Passant derrière les poulaillers en après-midi, je laisserai ici et là une pâtée de lapin et de ciguë qu'ils n'auront aucune difficulté à flairer et qui les laissera tranquille pour la soirée, sinon pour bien plus longtemps. Et puis, ne craignez pas le maître, il se couche tôt.

– Tope là pour demain soir. D'accord, monsieur le connétable?

– Puisque c'est votre désir, sire, dit-il en faisant la moue.

– Rendez-vous à vingt heures dans le pré à la Puce, juste au-dessus de la ferme, dit Renart.

– Bonne affaire, dit Blaireau, et dame Fière, tout attendrie, les regarde partir en se léchant d'avance les babines.

Mais Renart avait déjà son plan entre les deux oreilles, lui qui n'avait que mépris pour Ysengrin et Brun. Il aurait bien voulu les attraper ensemble, mais il les prendrait bien un à un.

Dès l'aurore, il va disposer des pâtées autour des bâtiments, mais des pâtées de viande seulement, délicieuses comme les chiens n'en mangent que rarement.

À vingt heures, les compères se retrouvent dans le pré à la Puce et descendent par le petit bois pour arrêter à l'orée, à cent pas à peine de l'enclos des veaux.

– J'irai le premier, dit Renart, car je sais comment ouvrir la clôture, ensuite, je sortirai pour veiller. Vous avancerez tous deux en tapinois. Vous, sire, prendrez le veau de votre choix et vous dirigerez aussitôt vers le petit bois sans être vu. Dès qu'il aura gagné l'orée du bois, tu te serviras à ton tour, Ysengrin, et je te suivrai car je ne mange pas de ces viandes.

Raphaël dormait, toutes lumières éteintes dans sa maison. Les chiens dormaient, aplatis dans leurs niches, et les veaux dormaient également. Renart avance à petits pas, ouvre la cloison, puis Noble se glisse silencieusement en bon félin qu'il est. Il entre dans l'enclos, étrangle le plus beau des veaux d'un coup de gueule et l'emporte sur son dos comme il était venu.

Ysengrin s'avance à son tour et fait de même, mais il n'est pas encore sorti de l'enclos que Renart lui fait le truc qu'il a déjà fait à Brun, une petite parade devant la niche, qui réveille les dogues en moins de temps qu'il n'en faut pour le dire. Bien sûr, il file en vitesse vers l'orée du petit bois où il sait Noble capable de se défendre, mais à mi-chemin, les dogues rencontrent Ysengrin qui traîne un veau. Ils lui sautent dessus, le pourfendent de la griffe et de la dent, à tel point qu'il doit abandonner sa proie pour défendre sa peau et n'y serait sans doute pas parvenu si Noble n'était revenu sur ses pas pour lui porter secours. Les dogues retournent chez eux déchiquetés et la queue basse.

Ysengrin se trouve si mal en point qu'il se sent incapable de ramener son veau à Malmaison.

– Qu'à cela ne tienne, répond Noble. Les deux veaux se rendront à Tourmaline. J'emporte le premier. Renart et Ysengrin, je vous somme d'y apporter l'autre.

Non seulement Ysengrin voudrait mourir, mais il voudrait tuer Renart dont il ne doute pas qu'il lui ait tendu ce guet-apens.

Renart se plaint tout en riant sous cape.

Arrivés à Tourmaline, Ysengrin demande s'il peut tout de même apporter quelque morceau à Malmaison pour Hersent et ses louveteaux.

– Quelque morceau? fulmine Noble. Quelque morceau? Toi qui as eu la maladresse d'attirer les chiens sur nous. Mauvais connétable que tu es! Je te fais miséricorde, mais ne récidive jamais!

«Et toi, Renart?»

– Vous m'avez demandé service et je vous ai servi. Je ne demande rien de plus.

– Que dirais-tu d'un peu de langue et des rognons?

– Sire, Hermeline les adore.

– Les voici, dit dame Fière, hâtive au dépeçage.

– Et file vite avant qu'Ysengrin ne te rattrape, dit Noble. Je le retiendrai un moment pour le morigéner un peu et lui offrir quelque consolation, sous forme de médaille de bravoure, peut-être.

Ysengrin (II)

JAMAIS AU MONDE, ni sur terre ni sur les planètes et autres astres qui s'éparpillent là-haut à la nuit tombée, jamais n'y eut-il guerre plus sale et plus méchante que celle qui opposa Ysengrin le loup et Renart le goupil.

Cela commença quasiment comme un rien, sauf qu'Ysengrin était aux aguets.

Fort, reconnu comme tel et respecté humblement de tous les personnages du canton, Ysengrin pouvait difficilement passer inaperçu et trouver victuailles dans ses chasses.

Renart, lui, se déguisait presque avec le paysage et vous saisissait une gélinotte par-ci, un lapereau par-là, de sorte que sa réputation grandissait parmi les grands et les petits, sans qu'il y apportât la moindre attention, occupé qu'il était de bien servir Hermeline et les chers enfants qu'il avait eus d'elle.

Ysengrin, occupé à tout régenter de coteau en vallon et de colline en petit pré, était moins chanceux, d'où le fait que son épouse Hersent se mettait parfois en chasse elle-même afin de pourvoir aux besoins de la maison.

Or, un matin qu'Ysengrin était à la cour du roi Noble pour discuter de fiscalité, elle sortit tôt avec son filet de pêche pour tenter de prendre des harengs à l'embouchure du ruisseau de la Soutane, ainsi nommé en l'honneur de Mgr Félix-Antoine Savard, prélat de la contrée.

Renart était couché dans les joncs, aussi bien dire invisible, attendant quelque proie, dont une qu'il convoitait depuis longtemps, Pinçart le héron.

Inutile de dire que l'arrivée bruyante d'Hersent mit fin à ses projets, mais il resta tapi quelque temps, la regardant agir sans trop de succès. Puis, n'y tenant plus, il se manifesta humblement.

– Hersent, puis-je vous donner un coup de main ?

– Renart, vous étiez là !

– Oui. Allez, donnez-moi ce filet.

Le voici donc qui avance dans la mer jusqu'au poitrail et qui, d'un seul lancer, ramène une cinquantaine de beaux harengs luisants et gras.

– Cela vous suffit-il pour aujourd'hui ?

– Comment vous remercier, Renart ? Vous êtes merveilleux. Si, maintenant, vous pouviez m'aider à les transporter à Malmaison, j'aurais le plaisir de vous offrir le thé.

Renart charge le filet et les harengs sur son dos et il escorte galamment la dame jusqu'au château d'Ysengrin, s'assurant bien, par son nez et par ses yeux, que le loup n'est pas dans les parages.

Ils ne sont pas sitôt entrés au château qu'Hersent se tord en remerciements et que les harengs sont abandonnés à la cuisine.

– Renart, je t'admire!

Il la prend dans ses bras, la serre de toutes ses forces, la couvre de baisers et elle en pleure de joie. Alors il la galvaude tant bien que peut sur le plancher, la culbute et la chevauche à grands coups de langue, jusqu'à ce qu'elle se pâme et, se retirant de ses quartiers, il l'abandonne avec une morsure d'amour à la nuque et quitte Malmaison, non sans emporter un immense bacon qui pendouillait aux cintres et qui fleurait jouissance gustative.

Hersent gît flopette et essaie de s'en remettre quand Ysengrin arrive, mouillé par l'orage, déprimé d'avoir discuté avec Noble tout le jour pour n'aboutir à rien, comme un pêcheur qui pêche sans rien prendre, qui baise le cul de la vieille, quoi! et qui rentre chez lui en passant par le magasin général de M. de La Ficelle, obligé d'acheter des moules pour offrir quelque manger à sa famille.

– Holà, Hersent, qu'est-ce qui t'arrive? Te voilà bien mal en point, étendue par terre à n'en pouvoir mais!

– Ysengrin, c'est le roux, Renart le maléfique, qui m'a surprise chemin faisant en revenant de la pêche, qui m'a suivie jusqu'ici et qui m'a violée sur le plancher de ton château.

– Ah! le puant! Désormais, c'est la guerre, et je sais qui la gagnera, car dès demain je porterai la cause auprès du roi Noble.

Un peu remise, Hersent passe à la douche, au séchoir, et se jette dans les bras d'Ysengrin en disant :

– À la guerre comme à la guerre.

Rovel et Tybert

ROVEL était l'aîné des fils d'Hermeline et de Renart, mais c'était un enfant timide, réservé, plutôt solitaire, qui participait rarement aux jeux de la maison. Il préférait de beaucoup aller chez Grimbert le blaireau afin de lui emprunter des livres qu'il ramenait à Maupertuis pour les lire en paix dans sa chambre.

Ou alors, il partait seul pour aller pêcher la petite truite dans le ruisseau de la Commère, dans celui de la Soutane, ou pour aller pêcher quelques artistes du coassement dans l'étang aux Grenouilles.

Quand il allait chez Grimbert, il passait forcément devant Monminou, la forteresse de Tybert le chat, un ennemi juré de Renart qui lui avait fait prendre et couper la queue dans un piège dissimulé à la porte de la laiterie, sur la ferme de Lucien Gauvin. Non seulement ces deux-là ne se parlaient-ils plus, mais ils se vouaient une haine féroce et s'emmaliçaient l'un l'autre avec grand plaisir et grande rage.

Rovel n'avait cure de ces chicanes et passait outre, même quand Tybert, l'apercevant, lui criait :

– Fils de bandit, tu ne vaux pas mieux que ton père, même si tu essaies de ressembler à ta mère !

Bien sûr, Rovel connaissait l'origine de ces invectives et n'y répondait jamais, pas même d'un regard.

Or, un jour qu'il arrivait chez Grimbert pour remettre et emprunter des livres, il fut tout étonné de voir le maître occupé à un drôle de bricolage.

– Cela t'étonne, hein, mon grand ? Eh oui ! Voilà des mois et des mois que je prépare la fabrication d'une montgolfière. J'ai passé la moitié de ma vie sous terre et l'autre moitié à ramper dessus, alors j'ai décidé de prendre un peu d'altitude. J'ai beaucoup lu sur le sujet et je suis bien équipé. J'ai fait un tout petit vol d'essai hier et tout a bien fonctionné. Regarde un peu l'appareil : en guise de nacelle, une manne de pommes reliée par des cordes à un grand sac de jardin orange dont j'ai rétréci l'embouchure. Sur un socle dans la nacelle, une lampe à la gelée de pétrole qui chauffe l'air dans le ballon et voilà l'ascension qui commence. Tu montes avec moi ?

– Ma foi oui, répond Rovel sans y penser deux fois.

Les voici tous deux dans la nacelle. Grimbert allume la lampe et le sac en plastique orange se gonfle, se gonfle, se gonfle et s'élève bientôt, lentement, jusqu'à la cime des arbres, puis au-delà.

– Nous voyons maintenant ce que voient les oiseaux, dit Rovel dans un souffle d'admiration.

– Tout à fait, répond Grimbert, qui admire les feuillages et l'horizon.

Mais il se retourne pour voir l'horizon derrière lui et, à la suite d'un geste trop brusque, la lampe se renverse, le ballon prend feu et la montgolfière amorce une chute verticale à travers les pruches, les épinettes et les pins pour atterrir en flammes directement sur le toit de Monminou.

Tybert sort à la course en crachant toutes les injures qu'il connaît et il ne se gêne pas pour en inventer de nouvelles, mais il rentre précipitamment dans sa demeure, en sort avec trois seaux et voici les trois compères qui font la chaîne au ruisseau voisin pour éteindre l'incendie naissant. Il est vite maîtrisé, mais le toit de Monminou est défoncé et la demeure, inondée, est maintenant inhabitable.

– Bougre de bon à rien, siffle Tybert à la face de Rovel. Fainéant d'intellectuel! Le fils d'un bandit est toujours pire que son père.

– Du calme, dit Grimbert. C'est mon invention et il n'est responsable de rien. J'assumerai réparations et dommages.

Rovel reste muet et ne cherche qu'à s'en aller.

– Non! Non! Tu restes ici, graine de pénitencier, et je t'attache à cet arbre avec une corde assez longue pour que tu puisses éponger les dégâts et réparer la toiture. Toi, Grimbert, tu vas aller me chercher Renart qui devra mettre la main à la pâte si jamais il veut revoir son fils.

Grimbert ne se le fait pas dire deux fois et les deux compères sont bientôt revenus avec tout ce qu'il faut de branches et de glaise pour refaire une toiture décente tandis que le pauvre Rovel vadrouille le plancher.

Le travail terminé, Renart regarde Tybert menaçant et sort de son étui une machette qui pendait à sa ceinture.

– Maintenant, je coupe la corde, et si tu fais le moindre geste, je te coupe le cou.

Tybert n'y pouvait rien, mais il prit tout de même la liberté de cracher au visage de Renart qui répliqua par une baffe qui fit s'envoler Tybert sur la nouvelle toiture de sa demeure parmi une flopée d'injures impossibles à reproduire ici.

– Toutes mes excuses, Rovel, et toutes mes excuses, Renart, dit Grimbert. Je crois que je vais mettre un terme à mes inventions.

Les choses n'en restèrent pas là. Le lendemain, Rovel se leva tôt et fut absent toute la journée. Le soir venu, Hermeline s'inquiétait fort quand elle vit soudain Tybert approcher de Maupertuis en compagnie de Rovel.

– Votre fils est brave, madame, et je vous en félicite, dit Tybert, puis il disparut comme il était venu.

– Pour l'amour du ciel, que s'est-il passé, Rovel?

– Peu de choses. J'ai magasiné toute la journée et je lui ai apporté deux andouilles, deux anguilles, vingt-cinq souris et une meule de camembert.

Sainte Poulette

SANS DOUTE est-ce la pire aventure de Renart, celle qu'il voudrait oublier à jamais et celle qu'on lui remet à la vue à la moindre occasion, encore qu'elle lui fut profitable au bout du compte.

Il trottinait le long des haies du rang Saint-Leu, ainsi nommé pour honorer un ancêtre d'Ysengrin, quand il entendit Cocorico faire ses vocalises.

«Tiens, tiens! J'ignorais la présence d'un gélinier ici, et le ténor est pas mal, ma foi. Peut-être s'appelle-t-il Enrico.»

Il s'approche, se cache sous des feuilles de rhubarbe dans le potager et il étudie le va-et-vient des gélines qui gravitent autour d'Enrico Cocorico.

L'une d'elles est plutôt grassette et appétissante. C'est Poulette, mais Renart se dit que s'il attrapait Cocorico lui-même il aurait ensuite la vie plus facile pour garnir le lardier de Maupertuis.

Cocorico fait le Jacques dans la basse-cour. Il s'époumone tous azimuts pour prouver qu'il est bien le maître de céans et les poules, toutes confiantes, picorent de-ci de-là en totale quiétude.

Mais voici Poulette qui approche de la rhubarbe et Renart ne demande pas son reste. Il l'attrape d'un coup de patte et lui tord le cou quand Enrico sonne l'alarme à plein tube, et voici les dogues, Gaston et Bertrand, qui accourent.

Impossible de faire face à la musique. Renart abandonne sa proie et veut gagner l'orée de la forêt. Il y arrivera, mais non sans que Gaston lui ait pris une mordée dans une fesse au départ. Du coup, Renart se retourne et mord le dogue dans les parties les plus sensibles de son anatomie. Gaston s'évanouit et Renart prend la poudre d'escampette tandis que Bertrand donne les sels à son compain.

Cocorico et ses poules s'empressent auprès de Poulette et lui offrent également les sels, mais sans succès. La géline agonise et Bernard le mouton, archiprêtre du canton, qui passait par là, lui donne l'absolution, la communion et l'extrême-onction.

L'événement fit grand bruit dans Charlemine. Renart avait été pris en flagrant délit du meurtre de Poulette.

Brun et Ysengrin ne prirent pas de temps à mettre la chose à profit et ils organisèrent des funérailles nationales.

La procession fut majestueuse à souhait et, de tout le canton, seuls Renart et sa famille n'y assistèrent pas.

Poulette fut enterrée à la croix de chemin du carrefour de Saint-Leu et de Misère, et, bientôt, les miracles commencèrent.

Ysengrin, qui souffrait d'une intense bronchite, y fit un pèlerinage solennel et fut aussitôt guéri, ce qu'il ne manqua pas de clamer à tout venant.

Brun, couvert de boursouflures par les piqûres d'abeilles dont il avait pillé les ruches, fit de même et fut guéri sur-le-champ, montrant à tous le soyeux de sa nouvelle pelisse.

Il en fut ainsi de miracle en miracle, si bien que Bernard le mouton organisa une autre procession, bénit la tombe à l'eau bénite, «avec un goupillon, insista-t-il, la queue du renégat qui lui a donné la mort».

Puis, sans autre détour, il la proclama sainte Poulette aux acclamations de la foule qui se signait.

Personne n'était gros dans ses culottes à Maupertuis et l'on ne sortait plus que la nuit.

Mais Renart, encore une fois, eut une idée de génie.

– Hermeline, habille les enfants proprement. Revêts toi-même un châle noir. Moi, j'aurai un brassard à la patte et à la queue, et nous ferons un pèlerinage de pardon à la tombe de sainte Poulette.

Il eut soin de faire annoncer la nouvelle par Criarde la corneille et, au jour dit, tout le canton regardait la famille pénitente remonter le chemin des Compères jusqu'à la croisée de Saint-Leu et de Misère.

Agenouillé sur la tombe, Renart versa d'abondantes larmes tandis qu'Hermeline déposait une énorme gerbe de mauves au pied de la croix. Auprès de leurs parents, Malebranche, Percehaie et Rovel égrenaient leur chapelet.

Curieux et n'y croyant pas, Noble et dame Fière s'étaient déplacés pour assister à l'événement, et un frisson traversa l'assistance quand Renart se releva, les bras en l'air, en criant :

– Je suis sauvé! Je suis sauvé! Un frémissement a traversé mon cœur et Poulette m'a parlé. Elle m'a dit qu'elle me pardonnait parce que le paradis des gélines était plus agréable que la basse-cour d'Enrico Cocorico.

Là-dessus, tous les membres de la famille se signèrent et, se tenant par la main, regagnèrent Maupertuis dans le plus grand recueillement, sans un mot à quiconque.

Dès la semaine suivante, Brun, le maire du canton, créait la caisse populaire de Sainte-Poulette et l'affaire eut un énorme succès, tous les épargnants se fiant à la sainte pour faire gonfler leur actif.

Renart aussi s'y fiait.

L'invitation à Maupertuis

LA VIE offre toutes sortes de circonstances étranges. Germain Lebel en sait quelque chose, lui qui élevait des oies et des cochons sur la ferme Trois-Pitons dans le rang de Misère. Un de ses clients les plus assidus, mais jamais reconnu et jamais attrapé, était nul autre que Renart.

Or, un soir de janvier, pressé par les civilités, Renart se trouva dans l'obligation de recevoir à dîner Noble, Brun, Ysengrin et leur épouse, ayant lui-même été reçu à Tourmaline au jour de l'an, bien contre son gré, faut-il dire.

Hermeline et lui discutèrent longuement du menu et il fut convenu que l'on servirait deux oies en parure et deux cochons de lait. Il y aurait d'abord des salades avec quelques denrées sorties tout droit du congélateur, salade de betteraves à l'œuf cru, crosses de violon à l'aïoli, salade de pommes de terre à la coriandre et barquettes de harengs à la mayonnaise moutardée, le tout avec du cidre de chez Jos Blanchette. Pour le dessert, ce serait une génoise coiffée de mousse à la rhubarbe.

Mais il fallait des oies et des cochons de lait, ce qui n'augurait rien de bon pour Germain Lebel.

Pendant deux jours, Renart mobilisa Rovel et Percehaie pour l'accompagner. Ils partaient de Maupertuis, montaient directement chez Ysengrin à Malmaison, en cachette, il va sans dire, et de là coupaient en ligne droite vers la ferme de Germain Lebel.

Toujours sans se faire voir et sans commettre le moindre larcin. Mais au bout de deux jours, la piste était devenue un boulevard qui allait de la ferme à Malmaison et le vice y versa.

Deux nuits avant le banquet, Renart, seul, refit l'itinéraire de Maupertuis à Malmaison et, de là, gagna la ferme par la piste qu'il avait si bien battue. Ce fut un jeu pour lui d'entrer dans les bâtiments sans être vu. Maman la truie venait de mettre bas et Renart lui soutira deux de ses plus beaux gorets. Elle en avait d'ailleurs plus que ses tétines n'en pouvaient nourrir. Il les étouffa d'un tour de poignet, les mit dans son sac et passa au poulailler.

Là, l'opération était plus délicate, car on sait que les oies cacardent et qu'elles ont ainsi sauvé Rome. Laissant son sac et ses gorets dehors, Renart se coucha à la porte du poulailler où dormaient toutes volailles confondues, et il se mit à gémir, à se plaindre langoureusement.

Curiosité chez Benoît le jars, qui était un peu le gardien du troupeau. Bastien, son copain et concurrent, s'approcha en consultation.

– Ouvrons toujours et regardons, dit-il.

Ce qu'ils firent.

– Ma foi, un goupil en train de rendre l'âme! Quel bonheur!

Ils s'avancèrent pour le tâter du bec, fermèrent la porte derrière eux, et c'est Renart qui les tâta du bec, sans un cri, sans un bruit.

Ils rejoignirent les gorets dans le sac et Renart reprit le chemin de Malmaison avant de rentrer à Maupertuis.

Le repas fut une splendeur et les convives se léchaient les badigoinces quand Ysengrin intervint pour demander :

– Mais où donc trouves-tu ces délicieuses victuailles?

– Très simple, monsieur le connétable, et vous auriez grand profit à y faire vous-même votre marché. La ferme de Germain Lebel, dans le rang de Misère, attend tout simplement votre visite.

Faut-il dire que Germain Lebel était furieux de l'escroquerie et qu'il avait suivi la piste jusqu'à Malmaison pour connaître l'auteur de ce cambriolage?

«C'est le maudit loup, se dit-il. Attendez que je le voie.»

Il se mit en vigile dans le fenil, au-dessus de la soue et du poulailler, avec son douze, et il posta deux de ses fils à proximité de Malmaison.

La vigile dura trois nuits et les Lebel se désespéraient peu à peu quand Ysengrin, jaloux du bon repas qu'il avait fait la veille, se présenta subrepticement en début de soirée. En entendant le poulailler s'énerver, Germain, à moitié endormi, descendit prestement par l'échelle et Ysengrin, pressentant le pire, se mit à faire vieilles trotter sans demander son reste. Germain tira dans la nuit et entendit une plainte, mais Ysengrin n'eut rien de plus que quelques plombs dans les fesses.

Lorsqu'il arriva chez lui, toutefois, deux fiers-à-bras l'attendaient avec des bâtons qui lui caressèrent l'échine plus qu'il n'aurait souhaité. Il s'en tira à coups de sauts et de mâchoires, mais il resta éclopé un bon moment et, dans son délire, il répétait toujours :

– Ah! le puant! Ah! le puant!

Le thé de la paix

Le jour de l'anniversaire de son épouse, Noble le lion organisa un grand thé à son château de Tourmaline et y invita toutes les dames du pays.

Ce fut un spectacle unique dans les annales de Charlemine que de voir arriver ces gentes créatures dans leurs plus beaux atours, chacune apportant quelque contribution à la constitution du buffet, totalement végétarien comme il se doit, à l'exception des espèces marines qui, à proprement parler, ne faisaient pas partie de la communauté.

Pour dame Fière, ce fut toute une surprise et, devant les premières invitées, elle se réfugia dans sa chambre pour réapparaître quelques minutes plus tard dans un caparaçon de feuilles d'érable piqué de merises, une églantine sur la tête et une boucle de fougère à la queue.

Blanchermine la belette s'était passé un collier de morelles et portait un tutu de trilles rouges. Son panier était plein de biscuits à la graine de salsepareille. Les poules de Chanteclerc avaient toutes une bague de pissenlit aux pattes et la fleur elle-même piquée au cou. Elles déposèrent sur la table des œufs farcis au cerfeuil et à l'estragon. Criarde la corneille, maquillée au blanc d'œuf et portant un œillet mauve sur la tête, offrit un fromage. Parfum la mouffette, une rose sur la tête et flottante dans un corsage de feuilles de rhubarbe, en présenta les tiges finement découpées et enrobées de sucre. Mimine la martre s'était confectionné une robe imprimée d'ail des bois et offrait un assortiment de bulbes et de racines, ail des bois, érythrone, gingembre sauvage. Mutine la sterne avait enfilé un fin collier de varech à cloques et portait dans son panier les plus belles moules qui soient, pêchées dans l'anse à la Sacoche. Huberte, l'épouse de Grimbert le blaireau, s'était fabriqué un kilt avec des pousses de genévriers et avait cuisiné une quiche aux girolles. Les marmottes étaient toutes en pantalon écru avec un boléro blanc diversement imprimé de marguerites et d'épervières. Leur offrande consistait en une variété de salades de pommes de terre, riches en échalotes et en fines herbes. Titite la gerboise portait un collier de trois bleuets et en avait un plein panier de tartelettes. Plume la mouette s'était teinte au henné et versa sur la table deux douzaines d'éperlans farcis au persil de mer. Jamu, l'épouse de Madada l'orignal, portait une robe de feuilles de nénuphars, un collier des mêmes fleurs, et elle déposa des gâteaux de racine de sagittaire au sirop d'érable. Euléma, la biche de Brichemer, s'était cousu une robe feuilles d'automne, portait un collier de pimbina et avait un plein panier de biscuits de ces délicieux petits fruits.

Mais la fête fut à son comble quand arrivèrent Hermeline et Hersent, main dans la main, Hermeline sous un grand chapeau de paille dans sa robe de médéoles et Hersent sous une capine de jonc fleuri et dans une robe blanche couverte d'hépatiques mauves.

L'une avait cuit un gâteau à la gadelle et l'autre ajoutait la sauce à la crème et aux fraises des champs.

Impossible de décrire le jacassement de cet aréopage durant l'après-midi, sauf qu'un sujet fit bientôt l'unanimité : la nécessité d'une paix durable entre Renart et Ysengrin. Tout le canton était affligé de leur guerre et tout le canton souhaitait qu'on y mette fin. Dame Fière disparut un moment pour en parler à son mari Noble et celui-ci apparut bientôt dans la salle.

Noble avait grande réputation tout en étant le sujet de grande dérision. Il avait la bouche croche mais il pissait droit, et voici comment il s'adressa aux convives :

– Mesdames, je ne saurais trop vous remercier de votre intervention. À la demande de

Fière, je viens d'envoyer trois ambassadeurs auprès de Renart et d'Ysengrin, Grimbert le blaireau, Brichemer le cerf et Madada l'orignal. Ils ont mandat de ramener les belligérants ici même, sur-le-champ, pour signer un traité de paix devant leur épouse et les dames de ce pays. S'ils refusent de se présenter, toutes les bêtes valides de Charlemine s'uniront pour les exterminer en moins de temps qu'il ne faut pour y penser.

Surprise! Les deux antagonistes étaient à la cour trente minutes plus tard, plutôt piteux dans l'ordinaire de leur tenue devant si élégante réunion.

Noble leur expliqua la résolution de ces dames et la volonté de toute la population du canton.

– À l'unanimité, nous vous demandons de mettre fin à vos vaines querelles et nous sommes tous témoins du baiser de paix que nous exigeons de vous.

Un baiser de paix? Renart et Ysengrin n'en avaient ni le goût ni le choix devant tous ces gens réunis. Il fallait consentir, en apparence du moins. Derrière la tête de chacun mijotaient d'autres projets.

Alors Noble s'avança solennellement au milieu de la salle.

– Approchez, Renart et Ysengrin.

Ils approchèrent.

– Ysengrin, mon connétable, acceptez-vous de faire la paix avec Renart mon baron?

À l'idée que Renart était devenu baron, les deux ennemis sursautèrent et Ysengrin jeta un regard torve vers un Renart impassible.

– J'accepte, dit un Ysengrin hautain comme toujours.

– Et vous, Renart?

– J'accepte de tout cœur, dit-il simplement.

– Embrassez-vous, maintenant.

Ce qu'ils firent.

Applaudissements dans la salle et larmes abondantes.

– Pour sceller cette amitié nouvelle, je vous suggère une sortie en commun qui ne mette en péril aucun de nos citoyens. Une partie de pêche, par exemple.

– À l'anguille peut-être, dit Renart.

– Parfaitement, opina Ysengrin.

– Je vous offre ma barque, répliqua Noble, et vous souhaite bonnes prises. Peut-être pourrait-ce faire l'objet d'un autre festin convivial ici même, à Malmaison ou à Maupertuis.

Et le thé se poursuivit dans la liesse de la paix retrouvée bien qu'Ysengrin trouvât un peu exagérées les politesses que Renart faisait à ces dames, alors que les dames lui en faisaient bien peu. Consciente de son malaise, Hersent vint trouver son époux, le prit par la main, salua toute la compagnie et ils rentrèrent à Malmaison quasiment en silence.

La pêche à l'anguille

L'AUBE était encore pâlotte le lendemain quand Ysengrin frappa à la porte de Maupertuis. Hermeline fut fort heureuse de lui offrir un café au lait et des galettes au cassis, tandis que Renart achevait de préparer les lignes, les filets et les épuisettes qu'il fourra dans un sac de golf.

– Mais qu'est-ce que tu fais là? s'enquit Ysengrin.

– Il n'y a rien de plus pratique qu'un sac de golf, répliqua Renart. Surtout quand tu ne joues pas au golf. Et c'est plein de pochettes pour mettre les leurres, le pot de vers de terre et les autres agrès. Tu t'enfiles ça sur l'épaule et te voilà les bras libres.

– Renart, dit Hermeline, voici le sac à dos dans lequel j'ai mis votre pique-nique.

– Renart est déjà bien alourdi avec son équipement, je prendrai le sac à dos, suggéra Ysengrin.

Renart se retourna vers le mur pour faire sa grimace. Avec Ysengrin en possession du pique-nique, la journée s'annonçait mal.

Bientôt les deux compères coupent à travers bois jusqu'au ruisseau de l'anse à la Sacoche.

– Sais-tu que j'ai déjà un petit creux? dit soudain Ysengrin.

– Rien ne nous presse d'arriver à la mer. Il y a un remous tout près d'ici où les truites frétillent d'abondance. Jetons-y simplement nos lignes.

– Vas-y! Vas-y, Renart! Moi, je vais plutôt jeter un coup d'œil à ce pique-nique que je porte sur mon dos et que je vais alléger un peu, car je le trouve un tantinet trop lourd.

«Beau début», se dit Renart, et il jette sa ligne à l'eau sans le moindre commentaire.

En moins de rien, il en tire une demi-douzaine de truites tandis qu'Ysengrin mâchouille un sandwich au jambon, au fromage et à la laitue, arrosé d'une demi-bouteille de cidre.

– Renart, tu es un pêcheur émérite, mais nous n'allons pas traîner ces truites toute la journée. Aussi bien se les farcir tout de suite. J'en mangerais bien quelques-unes grillées à la brochette.

Renart assemble des brindilles, allume un petit feu aux abords du ruisseau et continue de pêcher en attendant que la flambée s'achève en braises vives. Il y a douze truites, maintenant. Avec son opinel, il les vide, les farcit d'oseille trouvée sur place, les embroche et les offre à la braise en les retournant sans arrêt.

– Mais, Renart, tu as tous les talents! Maître pêcheur et maître queux.

Là-dessus, Ysengrin en gobe dix et il se serait rendu à la douzaine si Renart n'avait pris ses précautions en en retirant deux à son bout de la broche.

Enfin repu, Ysengrin propose qu'on reprenne l'excursion. On plie bagage et les voici bientôt sur la grève de l'anse à la Sacoche dont les rochers sont couverts de moules bleues trahies par la marée basse.

Renart se précipite et en arrache quelques-unes qu'il va gober goulûment en leur cassant l'écaille avec une pierre quand Ysengrin intervient :

– Je les ai vues avant toi, dit-il, et il avale les moules à mesure que Renart les lui ouvre.

Renart est furax et il sait déjà que la journée sera longue, mais il a donné le baiser de paix et il laissera à d'autres le soin de briser le serment.

– Tu sais, dit Ysengrin, je suis connétable depuis un bon moment déjà et tu n'es baron que depuis hier. Nous sommes devenus amis, mais j'ai tout de même préséance, et bien que tu sois plus rusé que moi, je suis plus fort. Notre amitié doit se fonder dans le respect de ces distinctions.

Le respect, Renart en a plein son propre fondement et il saura bien le prouver.

La barque de Noble se berce dans les vaguelettes, retenue par une chaîne cadenassée à un rocher.

– Comment diable pourrons-nous l'utiliser ? demande Ysengrin.

Renart ne daigne même pas répondre. Il se rend à l'orée de la forêt, soulève un caillou qui cache une clé, la met dans sa poche et entre ensuite sous les buissons d'où il ressort avec deux rames. Il ouvre le cadenas, libère la barque et tend une rame à Ysengrin en lui disant :

– C'est l'époque de l'année où le capelan roule dans le trou de l'Homme, à l'embouchure du ruisseau des Dames. Ramons jusque-là et nous ferons bonne pêche.

– Je digère mal, tu ferais mieux de ramer toi-même, dit Ysengrin, qui fouille dans le sac à dos pour pomper définitivement la première bouteille de cidre.

La barque est large. Renart peut à peine tenir les rames et la maîtriser contre la marée montante. Tout de même, tandis qu'Ysengrin somnole à demi, ils sont bientôt rendus au trou de l'Homme.

– Messire le connétable, réveillez-vous et admirez au moins le paysage avant que nous ne jetions les filets à la mer.

Ysengrin sursaute, ouvre les yeux, regarde l'île aux Couilles, à fleur de mer là-bas, l'immense barrière montagneuse de Charlemine derrière lui, et il frissonne devant ce fleuve qu'il connaît mal et qui, à son insu, charrie aussi bien le vent que l'eau et le poisson.

– C'est ici que nous pêchons? demande-t-il simplement.

– Oui, répond Renart, plus décontenancé que jamais. Voici les filets. Vous en tenez un bout, j'attache l'autre à la proue de la barque et hop! à la mer.

Ysengrin ne comprend rien à la manœuvre, mais il tient son bout tandis que Renart se remet à ramer. Cinq minutes et il n'en peut plus.

– Ça y est, notre filet est plein!

– Tu radotes, Renart?

– Allons, tirez!

Ysengrin n'en croit pas ses yeux. Toute une argenterie s'agite dans le filet qu'il tire à lui. Pour y voir de plus près, il se penche au-dessus du bastingage et la barque tangue. Renart voit son aubaine. Il se penche au bastingage lui aussi, mais en s'y retenant. La barque tangue tant et si bien qu'Ysengrin tombe dans la baignoire en hurlant :

– Renart! Renart! Au secours! Au secours! Je me noie! Je me noie!

Renart cache son amusement et lui tend une rame secourable.

– Sauf le respect que je vous dois, vous êtes mauvais pêcheur et mauvais marinier, monsieur le connétable. Nous avons perdu notre profit, mais il n'est que de recommencer.

– Tu y tiens vraiment?

– Oui, mais soyez plus prudent.

Le filet est remis à l'eau, Renart reprend les rames et, quand il se sent à bout de forces, il sait que la prise est bonne.

– Tirez encore, cher Ysengrin, mais de grâce, restez à bord.

Les deux tirent à force de bras et l'argenterie fourmille encore.

– Tirez! Tirez! Et tenez-vous loin du bord.

Bientôt, quelques centaines de capelans se tortillent dans la barque.

– Cela devrait suffire pour aujourd'hui, dit Renart.

– En effet, répond l'autre, et il s'étend de tout son long pour faire sécher sa pelisse.

Renart reprend les rames, toujours seul, et va échouer la barque sur le sable au bout du cap aux Sorcières.

– Que fais-tu là? demande Ysengrin.

– J'ai faim et j'ai besoin de me reposer, moi aussi.

Ils sont là dans le sable au soleil. Renart a trouvé un sandwich au poulet et à la mayonnaise qu'il grignote paresseusement, avec un petit verre de cidre, tandis que le glouton, après s'être ébroué sur son ami, avale un salami et vide la deuxième bouteille.

– Dormons un peu, dit Renart.

– Bonne idée, baron.

Et les deux font la sieste.

Combien de temps? On ne sait, mais c'est un bruit de moteur qui les réveille.

– Ysengrin! Ysengrin! Regardez le plus grand vaisseau de croisière du monde, le *Viking Sun*, qui se dirige vers Québec.

– Et puis quoi? demande le connétable.

– Et puis rien, réplique Renart. Mais regardez bien la vague qui viendra secouer notre barque.

Ysengrin se rendort tandis que Renart cherche un bois de grève pour fixer la chaîne de la barque dans le sable. Au bout de quelques minutes, voici la vague qui arrive, voici la barque qui danse, voici Renart qui recule et voici Ysengrin enseveli sous des trombes d'eau parmi des jurons indescriptibles, tandis que Renart se retourne pour faire semblant de faire pipi tellement il a le fou rire.

– Pourquoi ne m'avoir pas prévenu? Me voici encore tout trempé.

– Je vous ai prévenu, mais vous vous êtes rendormi. Je ne voulais surtout pas vous indisposer.

Ysengrin s'ébroue tant et tant au grand soleil de l'après-midi qu'il arrive à sécher quelque peu sa pelisse de nouveau.

– Partons, dit Renart. Il est grand temps de rentrer avant que la marée ne se retire pour de bon.

Encore une fois, le voici seul aux rames tandis que le connétable, affalé à la proue, s'assèche et se peigne tant qu'il peut. De retour à l'anse à la Sacoche, Renart tire la barque sur la berge, cadenasse la chaîne et va cacher rames et clé à leur place.

– Que reste-t-il dans le sac à dos? demande Renart.

Ysengrin regarde et répond :

– Un sandwich aux œufs, un sac de biscuits et une autre bouteille de cidre.

– Vidons cela pour emporter les capelans, dit Renart.

– Très bien.

Sans un mot de plus, Ysengrin gobe le sandwich, offre un verre de cidre à Renart avec quelques biscuits, avale ce qu'il en reste et vide la bouteille. Renart tapisse le sac des papiers qui enveloppaient les victuailles et y fourre les capelans. Le sac est plein à en péter et Renart attend qu'Ysengrin s'en charge les épaules. Celui-ci s'en aperçoit et lui dit simplement :

– Donne-moi le sac de golf et charge-toi des capelans.

L'après-midi s'étire et la mer se retire.

– Ysengrin, notre journée serait incomplète si nous ne rapportions quelques anguilles à nos familles.

– Des anguilles, dis-tu? Je ne connais pas de meilleur manger sauf les rognons et les bacons. Mais où les trouvera-t-on?

– Tout près d'ici, à la pêche de François Beaudoin.

Ils marchent à peine trois cents mètres qu'ils y sont rendus.

– Suivez bien mes instructions, Ysengrin. Nous nous cachons là-haut dans les buissons avec tous nos agrès et nous attendons que François Beaudoin vienne à la mer vider les caissons de sa pêche. Tiens, j'entends déjà le tracteur. Nous le laissons passer et, dès qu'il est à la mer, vous descendez au milieu du sentier, vous vous étendez de tout votre long et vous faites le mort. Il ne voudra pas écraser une si belle proie. Il s'arrêtera, vous ramassera par le chignon du cou et vous lancera dans sa charrette par-dessus les anguilles. Sans un bruit, vous en lancerez sur le sentier et, quand vous croirez en avoir assez, vous sauterez lestement de la charrette pendant qu'il poursuivra son chemin. Ensuite, nous n'aurons plus qu'à cueillir votre butin.

Tandis que Beaudoin est occupé à vider ses caissons, Ysengrin descend dans le sentier, s'étend de tout son long et fait le mort, la tête de côté et la langue pendante. Renart, lui, se tord déjà les côtes. Cette journée de malheur va se bien terminer.

Beaudoin, son travail achevé, revient dans le sentier et s'arrête soudain.

– On ne m'y prendra pas deux fois. L'autre jour c'était un goupil et maintenant c'est un loup. Je vais m'assurer qu'il soit bien mort.

Il arrête son tracteur, descend avec son gourdin, tout en se disant : «Il n'était pas là tout à l'heure.»

Il le tâte du bout du gourdin et le trouve un peu mou, mais Ysengrin n'ose frémir. Il fait un mort magnifique. Alors Beaudoin lève son gourdin et le matraque de la plus belle façon. Ysengrin pousse un cri, se lève et veut mordre, mais il reçoit un coup en plein visage et un autre qui lui casse une patte. Il réussit tout de même à mordre Beaudoin à la cheville. Celui-ci hurle de douleur, lâche son gourdin et regagne le volant de son tracteur tant bien que mal dans l'espoir d'écraser le loup.

Ysengrin est fort. En toute hâte, il se traîne hors du sentier et retourne au buisson où l'attendait Renart, mais il n'y a plus de Renart, ni de sac ni de rien.

– Ah! le fripon! Ah! le parjure!

Mort de rire, en effet, Renart avait pris la poudre d'escampette en direction de Maupertuis.

Il y laisse tous ses agrès et la moitié des capelans, disant à Hermeline :

– Ysengrin est retardé et je dois porter le reste de nos prises à Malmaison.

Il s'exécute aussitôt et fait livraison des capelans à dame Hersent, tout ébahie, qui le remercie d'un baiser.

– Ysengrin s'est attardé en chemin, mais il arrivera bientôt.

Ysengrin arriva à la nuit tombée, clopinant de peine et de misère. Avec force menteries, il raconta sa journée à Hersent, qui n'arrivait pas à le croire. Elle lui remit la patte en place, la fixa avec des attelles, lui servit un grog et le coucha pour la nuit. Mais Ysengrin ne dormit pas avant le petit jour. Pendant toutes ces heures, il rumina dans sa tête l'accusation de trahison et de félonie qu'il allait porter devant la cour du roi Noble.

Le réquisitoire

La convalescence d'Ysengrin dura bien deux semaines. Deux semaines pendant lesquelles il rédigea mémoire sur mémoire pour étoffer son réquisitoire, les déchirant l'un après l'autre afin d'atteindre à la perfection. Comble de la frustration, il aurait voulu la collaboration de Renart pour en peaufiner la rédaction.

Pendant ce temps, la nouvelle avait gagné tout le canton, et même les amis du connétable ne pouvaient s'empêcher d'en rire sous cape, car la version du goupil circulait aussi et l'on se gaussait du fameux thé de la paix tout autant que du roi Noble qui avait cru à la foi de ces deux mécréants.

Noble n'était pas content du tout. Grimbert l'avait averti qu'Ysengrin préparait une accusation et faisait signer une pétition pour que Renart fût assigné et condamné à la potence sans le moindre procès, pour trahison, parjure, félonie, adultère, vol, meurtre et quoi encore, au vu et au su de tout le canton, sans trace de remords ou de repentir.

Le roi savait que tous ses sujets, et lui-même, vivaient des mêmes rapines, mais personne ne pardonnait à Renart d'être plus finaud que les autres et c'est pour ça qu'on voulait s'en débarrasser, qu'on voulait le pendre.

Un beau matin, on sonna à la porte de Tourmaline. C'était Grimbert le blaireau qui venait prévenir Noble.

– Ils vont venir demain en délégation.

– Je les recevrai, dit-il simplement.

Le soir en se couchant, il dit à dame Fière :

– C'est bien simple, je voudrais tous les étrangler. Ou alors, nous pourrions changer de pays.

– Non pas, répondit-elle. La vie n'est pas facile, mais nous ne nous sauverons pas de ces problèmes en nous sauvant d'ici pour les retrouver ailleurs. Dors sur tes deux oreilles, mon cher époux. Le réquisitoire n'est que pour demain.

Ce fut un lendemain noyé de brume qui faisait croire à un pays de cocagne baignant dans de la crème fouettée, mais le soleil y mettant un peu d'allant, les paysages retrouvèrent la rigueur et la souplesse de leurs contours, et l'on vit s'avancer vers le château de Tourmaline une horde hétéroclite de bêtes et de bestioles précédée par Ysengrin, un parchemin à la main et le ruban de la légion d'honneur à l'oreille.

Faut-il vraiment ajouter que ces gens accompagnaient Ysengrin par crainte plutôt que par honneur, à l'exception de Brun, de Chanteclerc, de Tiecelin et de Tybert qui tenaient vraiment à la peau du vilain roux?

Noble les reçut sur son patio où ses laquais, Minou et Minoune, lui apportèrent son fauteuil.

– Allez quérir dame Fière, leur demanda-t-il, et apportez-lui également son fauteuil, car j'ai besoin de ses conseils.

Le roi et sa dame furent bientôt installés en dignité, prêts à entendre la pétition.

– Sire, commença Ysengrin, vous qui administrez avec une sagesse incomparable la justice et la paix en ce canton…

Noble éternue et Fière lui passe un papier mouchoir.

– … Sire, nous nous présentons devant vous pour obtenir de votre autorité que vous mettiez fin au fléau qui ravage la qualité de la vie dans le canton de Charlemine…

Noble bâille.

– … Ce fléau est nul autre que Renart, bandit sans foi ni loi, qui vole et tue à sa guise en tout temps et en tout lieu, faisant fi du droit des gens à leur vie et à leurs biens.

Noble bâille encore.

– Devrais-je énumérer le nombre de ses forfaits que le poil vous en retrousserait sur la queue, et j'ai avec moi mille témoins des supercheries de ce malandrin. Nous exigeons simplement qu'il soit pendu haut et court.

Noble bâille encore, puis précise :

– N'énumérez rien. Le dossier est bien connu.

Ensuite il se penche vers dame Fière, qui lui parle longuement à l'oreille.

– Faisons une histoire courte, dit-il. Nous avons offert le thé de la paix qui n'a servi à rien. Renart a beau être frondeur et rusé, vous n'avez pas aidé votre cause, monsieur le connétable, en vous montrant hautain, intransigeant, susceptible et crédule.

Il bâille encore.

– Il faut mettre fin à cette sotte hostilité qui ravage toutes relations d'amitié dans le canton.

Dame Fière se penche vers lui et lui glisse un mot à l'oreille.

– Oui, dame Fière a raison, je crois. Il n'est parole qui soit crédible. Il n'est serment qui soit tenu, il n'est promesse qui soit servie. Je décrète que Renart et Ysengrin devront se rencontrer en un combat singulier dans le champ à Stanislas, et le perdant, s'il n'est pas mort, devra quitter le canton.

«Ce qui est dit est dit et je ne reviendrai pas là-dessus, encore que je puisse toujours écouter vos commentaires.»

– Sire, votre sagesse est immense. Je rencontrerai Renart en un combat singulier et je débarrasserai le canton de cette peste.

Noble bâille encore.

– Brichemer, Grimbert et Madada, approchez, s'il vous plaît.

Le cerf, le blaireau et l'orignal répondent à l'invitation et se concertent quelques instants avec le roi, qui reprend ensuite la parole.

– Le combat aura lieu la semaine prochaine, à midi, au lendemain de la pleine lune. J'envoie immédiatement Brichemer émettre une sommation à Renart. Grimbert s'occupera de la publicité et Madada sera l'arbitre du combat. Compris? demande-t-il enfin en brandissant une queue menaçante.

– À vos ordres, sire le roi, répond Ysengrin.

– Très bien, dit Noble, et il regagne ses appartements avec dame Fière tandis que Minou et Minoune retirent les fauteuils et que les rats de Tourmaline distribuent des rafraîchissements à la peuplade assoiffée.

Le grand jour

NOBLE avait établi des règles très sévères que Grimbert fut chargé de transmettre à travers tout le canton, avec l'aide d'estafettes telles que Tiecelin le corbeau, Plume la mouette et Mutine la sterne.

Les ordres étaient stricts : trêve de chasse pour la journée, sous peine d'intervention personnelle et immédiate de Noble ou de ses adjoints, qui avaient la griffe et les dents prêtes.

Ysengrin et Renart devaient régler leur différend entre eux, en un combat singulier, au bout du champ à Stanislas, près de l'étang aux Grenouilles.

Tous étaient invités, mais aucune intervention ne serait tolérée, les combattants devant être laissés à eux-mêmes.

Les curieux accoururent en masse, et en famille de surcroît, ce qui fait du monde.

En voici un bref aperçu : Blanchermine la belette, Boileau le castor, Brichemer le cerf, avec ses fils Andouillais, Longbois et Courtelance, Brun l'ours, Cancan le canard, Chanteclerc, Enrico et leurs poules, Cladorne le caribou,

Confite l'outarde, Couart le lièvre, Crépine la souris, Criarde la corneille, Épinard le porc-épic, Gontran le pigeon, Grimbert le blaireau, Gus et Gugusse les mastiffs, Lise la couleuvre, Madada l'orignal, Mimine la martre, Mutine la sterne, Noble le couguar – qui se faisait passer pour un lion – avec son épouse Fière, Ouioui le kildir, Parfum la mouffette, Pinçart le héron, Plume la mouette, Pouti le raton laveur, Pocaille le lynx, Puant le carcajou, Rayé le suisse, Rooniaus le mâtin, Sauteuse la loutre, Sifflette la marmotte, avec ses fils Nez-rond, Gris-gris et Guédine, Tico le putois, Ticul l'âne, Tiecelin le corbeau, Titite la gerboise, Tybert le chat, Velu l'écureuil, petit-fils du défunt Joyeux, et Volant le polatouche.

Les voici tous en rond avec oncles, tantes, cousins, cousines et enfants autour de l'arène où Ysengrin parade déjà, fier, hautain, certain de sa victoire. Hersent et ses louveteaux sont aux premières loges et, de l'autre côté, Hermeline la regarde, la toise, escortée de Malebranche, Percehaie et Rovel.

– Mais où est Renart? s'écrie Ysengrin. A-t-il déclaré forfait?

D'un signe de tête, Hermeline répond que non.

– Mais viendra-t-il? demande Grimbert.

D'un signe de tête, Hermeline répond que oui, et de la branche de l'arbre où il s'est perché, Tiecelin le corbeau s'époumone soudain :

– Je le vois, je le vois. Oh pitié ! Il est déjà à moitié mort !

En effet, le voici qui se présente devant l'assistance, clopinant, appuyé sur son épieu.

Un silence mêlé d'effroi envahit la place et Ysengrin, se tournant vers Madada l'orignal, arbitre désigné par le roi, clame bien haut, à l'adresse de Noble plutôt qu'à son laquais :

– Je ne veux pas me battre contre un infirme. Qu'on le pende haut et court et qu'on n'en parle plus.

– Je me battrai jusqu'à la mort, glapit Renart sur le même ton.

– Que le meilleur prouve sa foi, répond Madada, et que le combat commence.

Puis, Madada fait le tour de l'enceinte pour éloigner les curieux trop rapprochés du danger. Il revient au centre, convoque les combattants, les oblige à se donner la main, leur fait trois grands saluts de son panache et les laisse à eux-mêmes au milieu du petit pré.

Jamais ne vit-on bataille plus furibonde !

Dès le départ, Ysengrin se rue sur Renart, le terrasse sous son poids et lui prend une mordée au cou qui fait gicler le sang.

– Allons, mes enfants, dit Hermeline, et ils quittent les lieux sans cérémonie, mais non sans être remarqués.

Sauf que Renart n'est pas mort. Il cachait dans ses mains un apprêt de poivre de Cayenne dont il fait bénéficier les yeux d'Ysengrin dans un geste de la plus innocente apparence. Hurlements d'Ysengrin tandis que Renart lui mord la poitrine à belles dents, et les voici luttant corps à corps, se roulant dans l'herbe avec des cris, des jurons qui font frémir les spectateurs, se déchirant, s'affligeant de baffes et de gnons tels que le roi Noble, non malheureux de la tournure des événements, se dit en lui-même :

«Ils ne s'en sortiront ni l'un ni l'autre et ce sera tant mieux pour moi!»

Les combattants, étroitement étreints, se mordent, s'injurient à qui mieux mieux, se roulent dans le pré en s'arrachant le poil et les chairs quand Renart sent soudain quelque chose auprès de lui. C'est son épieu. En moins de rien il s'en saisit, en assène trois coups sur la tête d'Ysengrin qui se met à saigner du nez, et, tandis que l'assemblée se met à crier «Illégal! Illégal!» Renart, bravant la foule, enfonce son épieu dans le ventre du loup, le transperce et le cloue au sol sans façon.

Madada accourt, mais trop tard.

Dans un regain d'énergie, Renart s'est enfui tandis qu'Ysengrin agonise sur l'arène champêtre.

Hersent et ses louveteaux approchent pour le consoler de leurs vénérations et pour entendre les derniers mots du connétable :

– Ah! le puant! Ah! le puant!

Quant à lui, le roi Noble dit :

– Quel fourbe magnifique! Je m'en méfierai toujours.

Et Fière d'ajouter :

– Tu ne t'en méfieras jamais assez!

Brichemer, Andouillais, Courtelance et Longbois se hâtent d'improviser une civière et exit Ysengrin vers Malmaison avec sa veuve et ses enfants, exit Ysengrin du décor et du roman.

Blanchermine

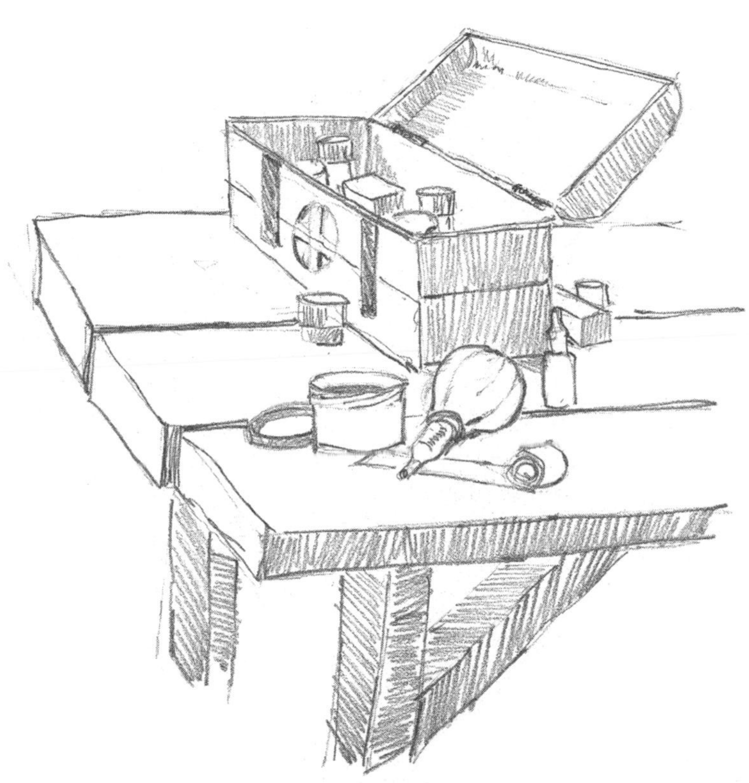

HEUREUX de sa victoire en combat singulier contre Ysengrin, Renart revint à Maupertuis de peine et de misère.

Sur les pentes de la colline à Galou, il se tailla une canne, une béquille plutôt, et rentra en clopinant, comme un goupil à cinq pattes.

«Par bonheur, personne ne me voit», se dit-il.

Erreur. Dame Taupe était là, cachée près de la sente et qui, se croyant hors de danger, se mit à chanter, en voyant le bonhomme éclopé :

– Gna gna gna gna gna gna!

Cette chanson ramena Renart à son naturel. Il avait faim et, faisant semblant de trébucher, il s'étendit de tout son long.

Tellement fière de voir le goupil en agonie, dame Taupe chanta encore pour convier toutes ses voisines. Une dizaine accoururent, n'en croyant pas leurs yeux, et s'approchèrent, mortes de curiosité, pour voir de plus près ce monstre qui avait dévoré tant de leurs parents et amis durant leur trop courte vie.

D'un coup de patte, Renart en faucha une dizaine, y compris dame Taupe elle-même, et se rassasia ainsi de viande fraîche, ce qui, après avoir craché le poil et les os, lui redonna certaine vigueur. Puis, caché sous les broussailles dans une pinède pour digérer, il se prit à soupirer :

– Que ne suis-je pin moi-même, pour vivre de l'air du temps, au lieu de combattre des ennemis qui gagnent leur vie aux dépens des autres, comme moi?

Enfin, reprenant sa béquille, il retourna à Maupertuis où Hermeline, Malebranche, Percehaie et Rovel crurent défaillir en le voyant arriver si mal en point.

– J'ai gagné, mais faites-moi un lit et laissez-moi mourir en paix, dit-il, puis, passant à sa chambre sans un mot de plus, il s'étendit entre ses draps.

– Papa va-t-il mourir? demanda Rovel.

– Pas sur ma peau, répondit Hermeline, et elle se mit au téléphone.

Dans les hauteurs de Popinette, il était un vallon où habitait Blanchermine, une belette réputée pour ses vastes connaissances en botanique et pharmacopées de toutes sortes. Sa réputation franchissait les frontières et on disait même qu'elle connaissait tout des jardins de ses ancêtres, de leurs tisanes, de leurs potions. Peut-être avait-elle même publié sur le sujet.

Hermeline téléphona à Grimbert le blaireau pour obtenir son numéro et les deux dames furent bientôt en contact.

– Blanchermine?

– Oui.

– Vous ne me connaissez pas. Je suis Hermeline, l'épouse de Renart, et j'ai besoin de vous.

– Parlez-vous de Renart, le roi des malfaisants?

– Exactement!

– Madame, je suis à vos désirs. Que puis-je pour vous?

– Venir le soigner, vous qui connaissez les herbes, les tisanes et les onguents qu'on en tire. Il a gagné rude bagarre contre Ysengrin, mais il est ici aussi bien que mourant et vos recettes pourraient peut-être lui sauver une vie à laquelle il ne tient qu'à mes prières et à l'amour que lui vouent ses enfants.

– Madame, j'accours de ce pas, mais demeurez-vous toujours à Maupertuis?

– Bien sûr! Saurez-vous trouver le chemin?

– Ma foi oui! Le chemin des Compères jusqu'au ruisseau des Commères que je quitte ensuite pour le sentier de Maupertuis, à l'endroit même où je cueille de la savoyane pour mes tisanes.

– Vous êtes brave.

– J'accours.

Un quart d'heure plus tard, Blanchermine sifflotait à la porte de Maupertuis, un petit coffre à la main. Malebranche, Percehaie et Rovel étaient en rang derrière la porte pour l'accueillir, et au milieu du hall, Hermeline, en larmes, se précipita pour l'embrasser et la remercier.

– De rien, de rien, chère amie, mais où est le patient?

– Venez.

Quel spectacle! Affalé sur le ventre, la tête de côté, Renart gisait sur son lit comme un mort sur le champ de bataille. Blanchermine ouvrit son coffret en toute hâte et en sortit une poire seringuée qu'elle trempa dans un pot où la liqueur, d'une couleur douteuse, avait une odeur percutante.

– C'est un alcoolat de gingembre, de menthe, de pissenlit et de salsepareille. Hermeline, aidez-moi à le retourner.

Renart fut retourné sur le dos et Blanchermine lui injecta ce jus infect dans la bouche, ce qui eut pour effet de le faire frétiller de bout en bout.

– Plus jamais, laissez-moi plutôt mourir, dit Renart.

– Excellente réaction. Retournons-le encore, dit Blanchermine.

Car les plaies de Renart étaient plus abondantes sur le dos, les griffes et les dents d'Ysengrin n'ayant ménagé ni sa pelisse ni ses chairs.

Tirant trois sachets de son coffret, Blanchermine ajouta :

– Hâtez-vous d'en faire une tisane. C'est de la trientale, de la claytonie et du cornouiller. Cela le calmera.

Puis elle sortit ses petits pots. Des onguents de graisse de mouffette au populage des marais, de graisse d'ours à l'hépatique, de beurre d'érable à la violette, un flacon d'huile à l'herbe Saint-Jean et quelques autres encore dont elle garda le secret.

Et là, elle se mit à frotter, à oindre et à frotter avec une ardeur qui rendait Hermeline inquiète et un peu jalouse.

– La tisane est-elle prête ?

– La voici.

– Buvez, Renart ! Buvez ! Et vous, Hermeline, frottez avec moi.

Elle ne se fit pas prier et Renart, de bout en bout, ne fut bientôt qu'une masse oléagineuse sentant fort bon, sous le massage énergique de ces dames. Et quand Hermeline, qui s'occupait de la colonne vertébrale, arriva au coccyx, Renart se retourna et poussa un grand cri.

Écartés de la chambre, Malebranche, Percehaie et Rovel accoururent pour assister à la mort de leur père.

Surprise! Il était assis dans son lit, gluant et souriant, Hermeline en larmes de joie près de lui et Blanchermine rangeant ses petites affaires dans son petit coffre.

– Qu'est-ce que je vous dois, Blanchermine?

– Vous me devez la paix, Renart. La paix et l'estime que j'ai moi-même pour vous.

Et elle disparut comme elle était venue, cueillant ici et là quelques simples le long des sentiers pour regarnir sa pharmacie.

L'ennui

DÉBARRASSÉ de son tonitruant ennemi qu'il avait passé sa vie à combattre, Renart se trouva soudainement désemparé. Il avait tué Ysengrin, il avait mis Brun à sa place et il gardait ses distances avec Noble, qui aurait bien voulu en faire son nouveau connétable.

– Non, avait dit dame Fière à son mari. D'abord, il refusera; sinon il te flouera comme il a floué tout le monde. Tu ne connais pas Renart.

– Mais toi, tu sembles très bien le connaître.

– L'intuition, l'intuition, pauvre Noble! Ah! que tu ne connais pas les dames! Tu as la force vive, la logique de l'exécution, mais il te manque le nez féminin qui voit l'invisible. Oublie Renart et traite-le du mieux que tu peux dans ce qu'il fait de moins mal. C'est à ce prix, et à ce prix seulement, que tu auras la paix.

– Oui, mais en perdant Ysengrin, que je méprisais au dernier degré, j'ai perdu mon rabatteur.

– Tu t'en trouveras un autre, aussi bête que lui, mais, pour l'amour du ciel, ne mets pas ton sort entre les pattes de Renart.

– Sans doute as-tu raison, sauf qu'il m'ennuie de chasser seul.

– Tu t'y feras.

À Maupertuis, la situation n'était guère différente. Sans ennemi à déjouer, entouré de la sage Hermeline et des enfants qui grandissaient sans problème aucun, Renart dépérissait à vue d'œil. Un matin, il embrassa Hermeline et lui dit :

– Ne sois pas inquiète, je pars pour deux jours.

Pas un mot de plus et le voici qui descend la colline à Galou, et suit le ruisseau des Commères jusqu'à la voie ferrée qui contourne le cap aux Sorcières. Il s'allonge dans le fossé et, ma foi, a le temps de roupiller avant qu'il n'entende le lointain tchou-tchou du train qui s'en va à Québec. Le voilà bien éveillé, alerte, vif et décidé. Le train ralentit dans la courbe et, sans être vu, il saute entre deux wagons en sifflotant le vieux refrain si souvent entendu à la radio :

Il faut pas avoir peur
De sauter su' l'tender
Quand on part sur un train
À quarante-cinq milles l'heure

Quel plaisir de voir défiler à grande vitesse des paysages qu'il a arpentés pas à pas, le cap au Lynx, la baie des Raies, l'anse à la Bagosse, la rivière Copette, l'anse à la Sangsue, le sault au Mouton, le trou de l'Orignal, l'Éboulis, L'Estatue et ainsi de suite, avec la mer en face.

Renart descendit à Château-Richer, s'attifa de quelques hardes chez un fripier et prit l'autobus pour Québec dans l'incognito le plus total.

Rendu en ville, il n'eut rien de plus pressé que de se rendre chez *Saint-Cyr la Musique* où il commanda un Steinway avec caisse en bronze, un métronome, un tabouret ainsi que des cahiers de musique en feuilles de Beethoven, Chopin, Chostakovitch, Mozart et Schubert, payant le tout rubis sur l'ongle avec l'argent qu'il avait volé la semaine précédente à la caisse populaire de Sainte-Poulette.

– Où devons-nous faire la livraison ?

– Au château de Maupertuis, dans le canton de Charlemine.

– Très bien.

– Et ce sera quand ?

– Attendez que je voie. Dans trois jours, ça vous va ?

– Tout à fait.

Cette fois, il prit son billet et entra dans le train comme un gentleman, regardant encore défiler les paysages bourrus, fantasques, face à la mer plate et patiente.

La surprise d'Hermeline quand elle le vit arriver sapé ainsi de haut en bas!

– Chut! dit-il, et il entra aux cabinets, se dévêtit, fit une boule de ses frusques qu'il revint jeter dans l'âtre, animant la flambée, et s'étendit de tout son long sur le plancher.

– Ça sent bon.

– Oui, c'est une outarde à la compote de pommes. Tu sais, Percehaie devient un excellent chasseur.

– Bravo, et j'ai très faim!

– Renart, qu'as-tu fait de ces deux jours? Serais-tu allé courtiser quelque maîtresse, comme dame Hersent, par hasard?

– Tu me connais mal, Hermeline, et je ne te répondrai même pas, mais dans trois jours, tu auras la surprise de ta vie.

Pauvre Hermeline! À quoi pouvait-elle s'attendre? Elle n'en dormit pas des deux nuits suivantes tandis que Renart, muet, ronflait comme un pépère.

Vint alors la livraison du Steinway à Maupertuis et tout le canton fut aux abois.

– Renart est fou! Renart est marteau! Renart est tombé sur le pompon!

Il veut combattre le remords d'avoir occis Ysengrin.

Hermeline, elle, était aux anges. Renart faisait des gammes, montrait le chant à ses enfants, leur apprenait à lire les partitions musicales, les accompagnaient dans les plus beaux lieder, et la famille invitait tout un chacun à Maupertuis pour des récitals qui émerveillaient tout le canton de Charlemine.

Noble et dame Fière vinrent faire une visite et furent tout simplement ravis.

– Quel talent!

– C'est un génie!

Ce qui n'empêchait pas Renart de faire encore les poulaillers, de fouiller les terriers, de saccager les nids et de s'ennuyer un peu d'avoir perdu un adversaire digne de lui.

Deuil à Maupertuis

UN SOIR qu'il avait attrapé une grosse marmotte au pied de la montagne du Téton, presque à la barbe de Noble, près de son château de Tourmaline, Renart fut contraint de traverser la route nationale avec son fardeau dans la gueule, et c'est alors qu'il rencontra son destin dans la courbe du ruisseau Jureux, une vilaine, celle-là. Benjamin Soulart, qui portait bien son nom, roulait tous phares éteints, si bien que Renart ne le vit ni ne l'entendit venir, la courbe et la pente lui masquant l'auto et tamisant le bruit qu'elle faisait. Il l'aperçut au dernier moment, mais ne put l'esquiver.

Boum! Il roula dans le fossé, inconscient, et Benjamin, curieux dans son ivresse, stoppa pour voir ce qu'il avait bien pu heurter. À la lumière de sa lampe de poche, il revint vers le fossé pour trouver Renart inerte, sa victime entre les dents.

«À la bonne heure, se dit-il. D'une pierre deux coups», et il se pencha pour ramasser ses deux trophées.

Malheur à lui, Renart, se ressaisissant, lui mordit tout d'abord la main et lui sauta ensuite au visage pour lui arracher le nez.

Les hurlements et les simagrées de Benjamin eurent tôt fait d'alerter les autres passants, qui s'arrêtèrent, mais Renart n'avait pas attendu. Il avait déjà abandonné sa proie et, ramassant le peu de forces qu'il lui restait, il clopina le long du fossé et traversa la route loin des badauds qui discutaient le coup, qui le maudissaient et qui tentaient de porter secours à Benjamin.

De peine et de misère, il arrive à Maupertuis.

Horreur! Le sang lui coule par la bouche et les oreilles. Hermeline téléphone à Blanchermine en toute hâte. Celle-ci accourt, examine et tâte le patient, à moitié conscient, et dit enfin :

– Je n'y puis rien. Il faut tout de suite faire venir Boileau le castor.

Boileau était un rebouteux dont la réputation dépassait les frontières du canton de Charlemine. Il se précipita vers Maupertuis, car il estimait beaucoup Renart. Il arrêta d'abord le sang, puis tâta les os du crâne. Baissant la tête, il dit d'une voix étouffée :

– Je n'y puis rien, ma pauvre Hermeline, il est désormais entre les mains du prêtre et de Dieu.

Hurlements de désespoir dans Maupertuis tandis que Blanchermine téléphone à Bernard le mouton. Celui-ci arrive le plus vite qu'il peut, s'installe au chevet du mourant qui lui fait sa confession, l'absout de tous ses péchés, lui donne l'extrême-onction et tente, tant bien que mal, de consoler la famille éplorée.

Puis, dans un râlement, Renart appelle son épouse.

– Hermeline, je t'aime tellement plus que les gélines ! Ne le sais-tu pas ?

– Renart, tu es un lascar.

– Serre-moi un peu.

– Tant que tu veux.

– J'ai bousillé toute ma vie, mais je n'ai jamais aimé que toi.

Il l'embrassa et mourut entre ses bras.

La pauvre Hermeline, ne sachant que faire, mourut à son tour, naturellement, spontanément, parce que Renart n'y était plus.

Bernard lui prodigua également les derniers sacrements, puis disparut dans la plus grande discrétion.

Blanchermine sauta sur le téléphone encore une fois, pour joindre Rufus, le cousin de Renart, et le prier de venir secourir Malebranche, Percehaie et Rovel. Quand il arriva à Maupertuis, elle lui raconta le tout, puis retourna chez elle, la larme à l'œil.

Montréal, 9 juillet 2000,
en la fête de Louise.

Ce volume a été achevé d'imprimer
sur les presses de l'imprimerie Gagné
à Louiseville
en septembre 2000

Imprimé au Canada